MISSCHIEN MORGEN…

Misschien morgen...

Patricia McCormick

Vertaald door Jenny de Jonge

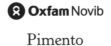

Pimento

De vertaler ontving voor deze vertaling een werkbeurs van de
Stichting Fonds voor de Letteren.

1 7. 08. 2009

www.pimentoyoung.nl
www.oxfamnovib.nl

Oorspronkelijke titel *Sold*
Copyright © 2006 Patricia McCormick
Oorspronkelijk uitgegeven bij Hyperion, New York
Nederlandse vertaling © 2008 Jenny de Jonge en Pimento,
Amsterdam
Uitgave i.s.m. Oxfam Novib, Den Haag
Omslagbeeld Arcangel Images/Imagestore en *Indian Textile
Prints,* The Pepin Press (www.pepinpress.com)
Omslagontwerp Marlies Visser
Opmaak binnenwerk ZetSpiegel, Best
ISBN 978 90 499 2269 6
NUR 284

Oxfam Novib

FSC
Mix
Produktgruppe aus vorbildlich
bewirtschafteten Wäldern und
Recyclingholz oder - fasern

Zert.-Nr. SGS-COC-003091
www.fsc.org
© 1996 Forest Stewardship Council

Dit boek is gedrukt op papier dat het keurmerk van de Forest
Stewardship Council (FSC) mag dragen. Houtvrij romandruk
Premium cream is geproduceerd door Muncken van hout uit
duurzame beheerde bossen.

Pimento is een imprint van Foreign Media Books BV,
onderdeel van Foreign Media Group

Voor Paul

EEN DAK VAN GOLFPLAAT

Nog een regenseizoen en ons dak is er geweest, zegt ama.

Mijn moeder staat op een houten ladder en inspecteert het stro-dak. Ik sta beneden om haar het wasgoed aan te geven, zodat het droog kan stoven in de middagzon. Er is geen wolkje te zien. Geen spoor van regen, in de verste verte niet, al weken.

Maar het heeft geen zin om dat tegen ama te zeggen. Ze kijkt langs de berg omlaag naar de rijstterrassen die stapsgewijs naar het dorp afdalen; naar de golfplaten daken van de buren die wreed terugknipperen.

Een dak van golfplaat wil zeggen dat het gezin een vader heeft die niet het geld van de landheer vergokt met kaarten in het theehuis. Een dak van golfplaat wil zeggen dat het gezin een zoon heeft die bij de steenoven in de stad werkt. Een dak van golfplaat wil zeggen dat, als de regen komt, het vuur niet dooft en de baby gezond blijft.

'Laat me naar de stad gaan,' zeg ik. 'Ik kan voor een rijke familie werken, net als Gita, en mijn loon naar jou sturen.'

Ama streelt mijn wang; het vel van haar versleten werkhanden is zo ruw als de tong van een pasgeboren geitje. 'Lakshmi, mijn kind,' zegt ze, 'jij moet op school blijven, wat je stiefvader ook zegt.'

Ik wil haar zeggen dat mijn stiefvader de laatste tijd net zo naar mij kijkt als naar de komkommers die ik op het erf voor onze hut kweek. Hij knipt de as van zijn sigaret en knijpt zijn ogen tot spleetjes. 'Je kunt er maar beter een goede prijs voor vangen,' zegt hij.

Als hij kijkt, ziet hij sigaretten en rijstbier, een nieuw vest voor zichzelf.

Ik zie een dak van golfplaat.

VOOR GITA WEGGING

We tekenden vakken in het zand op het pad tussen onze hutten en speelden het spel waarbij je op één been moet hinkelen. We borstelden elkaars haar met honderd streken en verzonnen namen voor onze zonen en dochters. We knepen onze neus dicht als de vrouw van het dorpshoofd voorbijkwam, omdat ze een keer een wind liet toen ze langsparadeerde naar de dorpsbron.

We wreven over de scherpe randen van de kerf in de schoolbank in de hoop dat het hielp bij een overhoring. We bekogelden elkaar met modder op de lange middagen dat we gebukt in de rijstvelden stonden en huilden van het lachen toen een van Gita's modder-vlaaien het achterhoofd raakte van haar verwaande oudere zus.

In de herfst, als de geitenhoeders van de Himalayaweiden naar beneden kwamen, verstopten we ons in het olifantengras om een blik op te vangen van Krishna, de jongen met de slaperige katten-ogen, de jongen aan wie ik beloofd ben.

Nu Gita vertrokken is, om als dienstmeisje te werken voor een rijke dame in de stad, heeft haar familie een kleine glazen zon die in het midden van hun plafond aan een draad naar beneden hangt, een nieuw stel kookpotten voor Gita's moeder, een bril voor haar vader, een brokaten trouwjapon voor haar oudere zus en schoolgeld voor haar broertje.

In de hut van Gita's familie is het 's nachts dag.

Maar zonder mijn vriendin voelt ook de felste zonneschijn als nacht.

DE NIEUWE LEERLING

Elke morgen als ik met mijn karweitjes bezig ben – rijstwater zeven, kruiden fijnmalen, het erf aanvegen – volgt mijn zwart-wit gevlekte geitje, Tali, me op de voet.

'Die rare geit,' zegt ama. 'Ze denkt dat jij haar moeder bent.'

Tali duwt zachtjes haar kop in mijn handpalm en mekkert in-stemmend. En daarom leer ik haar wat ik weet.

Ik dweil de harde lemen vloer met een lap gedrenkt in mestwater en leg uit: 'Dit houdt onze hut koel en vrij van boze geesten.' Ik laat haar zien hoe ik een waterkruik vastbind aan de mand op mijn rug en geen druppel mors op de steile klim van de dorps-bron naar boven. En als ik mijn tanden poets met een takje van de neemboom, doet Tali me na door ernstig als een monnik op haar takje te knabbelen.

Als het tijd is om naar school te gaan, maak ik voor haar een bed van stro in een zonnig hoekje van het erf. Ik kus haar tussen haar oren en zeg dat ik op tijd thuis ben voor het middageten.

Ze duwt haar natte roze neus in mijn rokzak, op zoek naar een paar verscholen graankorrels, en gaat dan in een wirwar van ellebogen en knieën liggen om zich voor een dutje in het stro te nestelen.

'Wat een gek beest,' zegt ama. 'Ze denkt dat ze een mens is.'
Daar zou ama wel eens gelijk in kunnen hebben, want toen ik

vorige week op een dag in de klas het geklingel van haar bel hoorde en opkeek, zag ik mijn gevlekte geitje wanhopig mekkerend over het schoolplein zwerven.

Toen ze me eindelijk achter het raam ontdekte, blèrde ze van gekwetste trots, verontwaardigd dat ik haar had achtergelaten. Ze struinde het schoolplein over, zette haar hoeven op de vensterbank en keek met pientere en nieuwsgierige ogen naar binnen terwijl de onderwijzeres de les beëindigde.

Toen de school uit was en we de heuvel naar huis op klommen, draafde Tali vooruit met haar borstelige staartje omhoog.

'Volgende week,' beloofde ik haar, 'gaan we aan onze spelling werken.'

IETS MOOIS

's Morgens bukt ama zich om het keukenvuur op te rakelen en om mijn haar te vlechten voor ik naar school ga. De hele dag gaat ze gebukt onder haar last, als ze de berg op en af sjokt met een zware mand op haar rug gebonden, op zijn plaats gehouden met een touw om haar voorhoofd.

En als ze 's avonds mijn stiefvader bedient bij het eten, knielt ze aan zijn voeten.

Zelfs als ze rechtop staat om de lucht af te speuren naar regenwolken, is de rug van mijn ama gekromd.

De mensen die op onze berg wonen – een groepje hutten van rode leem dat zich aan de helling vastklemt – aanbidden de godin die daar op de zwaluwstaartpiek woont. Ze bidden tot haar, de godin met het strenge, edele voorhoofd, de brede gulle borst en de sneeuwwitte rokken die ze wijd boven ons spreidt.

Ze is mooi, machtig en indrukwekkend.

Maar mijn ama, met haar ravenzwarte haar waarin ze lapjes rode stof en kralen heeft gevlochten, haar kaneelkleurige huid en haar oren met vrolijk tinkelende gouden hangers, is in mijn ogen veel aantrekkelijker.

En haar tengere rug, die onze lasten – en al onze hoop – draagt, is nog veel mooier.

HET VERSCHIL TUSSEN ZONEN EN DOCHTERS

De arm van mijn stiefvader is een verschrompeld en nutteloos ding. Hij heeft hem als kind gebroken toen er geen geld was voor een dokter en daarom heeft hij er in de regenmaanden last van. Hij schaamt zich diep voor zijn gebrekkige, verwrongen arm.

De meeste mannen van zijn leeftijd vertrekken voor maanden van huis om in fabrieken of werkploegen ver weg te gaan werken. Maar niemand, zegt hij, neemt een eenarmige man aan. En daarom wrijft hij olie in zijn haar, trekt zijn vest aan, doet een polshorloge om dat al lang niet meer de juiste tijd aangeeft en gaat elke dag de heuvel op om te kaarten, over politiek te praten en thee te drinken met de oude mannen.

Ama zegt dat we van geluk mogen spreken dat we nog een man hebben. Ze zegt dat ik hem moet loven en prijzen, hem moet hoogachten en danken dat hij ons in huis heeft genomen na de dood van mijn vader.

En dus speel ik de rol van plichtsgetrouwe dochter. Ik breng hem 's morgens zijn thee en masseer 's avonds zijn voeten. Ik doe alsof ik hem niet hoor meelachen met de mannen in het theehuis als die grapjes maken over het verschil tussen het hebben van zonen en het uithuwelijken van dochters.

Een zoon blijft altijd een zoon, zeggen ze. Maar een meisje is als een geit. Goed zolang ze je melk en boter geeft, maar niet de moeite om een traan om te laten als het tijd wordt voor de stoofpot.

VOORBIJ HET HIMALAYAGEBERGTE

Bij het aanbreken van de dag vangt onze hut, die hoog tegen de berghelling ligt, al de eerste stralen van de zon, terwijl het dorp beneden tot halverwege de morgen in de lange purperen schaduw van de berg blijft gehuld.

Tegen de middag zullen de geelbruine velden bezaaid zijn met de vrolijke jurken van de vrouwen, zo rood als de poinsettia's langs de winderige voetpaden. Soezende baby's schommelen in tenen manden, en de hagedissen koesteren zich voor hun holen in de zon.

's Avonds zal de felgele pompoenbloesem dronken van zonneschijn zich sluiten, terwijl de melkwitte jasmijn zijn slanke keeltjes opent om van de koele Himalayalucht te nippen.

's Nachts zullen de haardvuren beneden geurend naar tientallen maaltijden kringelende rooksliertjes omhoogsturen, en zal duisternis het land omhullen.

Behalve in de nachten dat het vollemaan is. Op die nachten baden de heuvel en het dal beneden in een toverachtig wit licht, de weerschijn van de eeuwige sneeuw die de bergtoppen bedekt. Op die nachten lig ik rusteloos op de slaapzolder en vraag me af hoe de wereld voorbij mijn huis in de bergen eruitziet.

KALENDER

Op school is een kalender waarop mijn jonge onderwijzeres met het vollemaansgezicht de dagen afstreept met een rood potlood.

Op de berg meten we de tijd aan vrouwenwerk en vrouwenleed.

In de koude maanden klimmen de vrouwen hoog de bergrug op om brandhout te sprokkelen. Ze nemen het eten uit hun kom, geven het aan hun kinderen en leggen hun eigen rommelende maag het zwijgen op.

Dit is het seizoen waarin de vrouwen de kinderen begraven die aan de koorts sterven.

In de droge maanden verzamelen de vrouwen mandenvol mest, ze slaan die plat tot koeken die hard worden in de zon en maken er kostbare brandstof van voor het kookvuur. Ze binden lappen voor de ogen van hun kinderen om hen te beschermen tegen het fijne zand dat opwaait uit de droge rivierbedding.

Dit is het seizoen waarin ze de kinderen begraven die aan de hoestziekte sterven.

In de regenmaanden repareren ze de afbrokkelende leemmuren van hun hut en houden het vuur aan zodat de pap van gisteren vandaag nog mee kan. Ze zien de rivier veranderen in een bulderend monster. Ze peuteren bloedzuigers uit de voeten van hun kinderen en geven ze thee om de buikloopziekte te weren.

Dit is het seizoen waarin ze de kinderen begraven die niet naar de dokter aan de overkant van die rivier gebracht kunnen worden.

In de koele maanden bereiden ze het speciale voedsel voor de festivals. Ze maken rijstbier voor de mannen en luisteren naar hun geruzie over politiek. Ze leren de kinderen die de seizoenen hebben overleefd om inkt te maken van het blauwzwarte sap van de cashewappel voor het nieuwe schooljaar.

Dit is ook het seizoen waarin de vrouwen het blauwzwarte sap van de cashewappel drinken om de baby's in hun baarmoeder weg te maken – de baby's die alleen maar geboren zouden worden om het seizoen erop te worden begraven.

EEN ANDERE KALENDER

Volgens het aantal kerven in ama's bruidskist is zij eenendertig en ik dertien. Als mijn babybroertje blijft leven tot en met het festivalseizoen, zal ama een kerf voor hem maken.

Tussen mij en mijn broer zijn vier andere baby's geboren.
Voor hen zijn er geen kerven.

BEKENTENIS

Elk van mijn komkommers heeft een naam.

De kleine komkommer heet Muthi, dat 'klein handje' betekent.
Muthi krijgt 's morgens het eerst te drinken.

Dichtbij staat Yeti, de grootste komkommer, genoemd naar het
harige sneeuwmonster. Yeti wordt zo dik dat de kleine Muthi zich
onder een naburig blad kleinmaakt uit vrees en ontzag.

Dan heb je Ananta, die de vorm heeft van een slang; Bajai, de
knoestige grootmoeder van het groepje; Vishnu, zo glad als re-
genwater; en Naazma, de lelijkerd, genoemd naar de vrouw van
het dorpshoofd.

Een is naar mijn kip genoemd en drie naar haar kuikens, een naar
Gita en een naar Ganesh, de olifantengod die hindernissen uit de
weg ruimt.

Ik behandel ze allemaal als mijn kinderen.

Maar soms, als ik niet genoeg water in mijn kruik heb, krijgt
Naazma een beetje minder.

EERSTE BLOEDING

Vandaag werd ik wakker nog voor de kip begon rond te scharrelen en bemerkte ik een verandering in mezelf.

Al dagen voelde ik iets rijpen in mijn lichaam, een zeurderig, pijnlijk gevoel dat totaal niet leek op iets wat ik eerder heb gevoeld. En nog voor ik naar de latrine ga om te kijken, weet ik dat ik mijn eerste bloeding heb gekregen.

Ama is opgetogen over mijn nieuws en begint regelingen te treffen voor mijn opsluiting.

'Je mag je zeven dagen niet laten zien,' zegt ze. 'Zelfs de zon mag jou niet zien tot je gereinigd bent.'

Voor de dag kan beginnen, brengt ama me snel naar de geitenstal, waar ik een week lang afgezonderd van de wereld zal doorbrengen.

'Kom er niet uit, om wat voor reden ook,' zegt ze. 'Als je naar de latrine moet, bedek dan je gezicht en je hoofd met je omslagdoek.'

'Vanavond,' zegt ze, 'als je stiefvader uit is en de baby slaapt, kom ik terug. En dan zal ik je alles vertellen wat je moet weten.'

ALLES WAT IK MOET WETEN

Tot vandaag, zegt ama, kon je vrij ronddarren als een blad in de wind.

Nu moet je jezelf zedig gaan gedragen, zegt ze, je hoofd buigen in de aanwezigheid van mannen en jezelf met je omslagdoek bedekken.

Kijk een man nooit recht aan.

Zorg dat je nooit alleen bent met een man die geen familie is. En kijk als je bloedt nooit naar groeiende pompoenen of kom-kommers.

Anders gaan die rotten.

Als je eenmaal getrouwd bent, zegt ze, mag je pas eten als je man genoeg heeft. Daarna mag je hebben wat erover is.

Als hij boert aan het einde van een maaltijd, is dat een teken dat hij tevreden over je is.

Als hij 's nachts iets van je wil, moet je jezelf aan hem geven in de hoop dat je hem een zoon zult baren.

Als je een zoon krijgt, geef hem dan de borst tot hij vier is.

Als je een dochter krijgt, geef haar dan niet langer dan één seizoen de borst, zodat je weer gaat bloeden en nog een keer kunt proberen om een zoon te baren.

Als je man je vraagt om zijn voeten te wassen, moet je doen wat hij zegt, en daarna een beetje van het water in je mond nemen.

Ik vraag ama waarom. 'Waarom,' vraag ik, 'moeten vrouwen zo lijden?'

'Dat is altijd ons lot geweest,' zegt ze.

'Gewoon verdragen,' zegt ze, 'staat gelijk aan overwinnen.'

WACHTEN EN KIJKEN

Zeven dagen en zeven nachten lang lig ik in het donker van de geitenstal over mijn toekomst te dromen. Ik begraaf mijn neus in Tali's vacht en snuif haar geur op – verse groene grassprietjes, middagzon en vuil van de berg – en stel me mijn leven met Krishna voor.

Ama zegt dat ik tot volgend jaar moet wachten, als ze de sterrenwichelaar zal bezoeken om een datum voor ons huwelijk vast te stellen. Maar als ik kon, zou ik morgen met hem in de bergen gaan wonen.

We zouden planten uit de rivier kunnen eten, gesmolten sneeuw kunnen drinken en kunnen slapen onder het zilverwitte licht van de berg. En op een dag zouden we een doek aan een boomtak kunnen hangen en onze baby daarin leggen. En ze zou slapen met het gemekker van de geiten als haar enige wiegelied.

Tot dan zal ik me tevreden stellen met naar hem te kijken.

Ik stond te kijken toen hij een hardloopwedstrijd tegen de snelste jongen uit het dorp won. En ik was erbij op de dag dat hij een hagedis in de theekop van de onderwijzer deed. Ik was bij de dorpsbron toen de andere jongens hem plaagden omdat hij water haalde voor zijn moeder. En ik gluurde om het hoekje van Bajai Sita's winkel de keer dat hij zijn eerste sigaret rookte en hoestte tot de tranen over zijn wangen liepen.

Als Krishna me tegenkomt in het dorp is hij verlegen, houdt hij zijn slaperige kattenogen op de grond voor zijn voeten gericht.

Maar ik denk dat hij ook naar mij heeft gekeken, misschien.

DE AANKONDIGING VAN HET DROGE SEIZOEN

De wind die uit de vlakten omhoogblaast heet de *loo*.

Heet en rusteloos wervelt hij de hele dag rond, werpt handenvol stof op en maakt modder van het speeksel in mijn mond.

Hij huilt ook de hele nacht en blaast zijn koortsige adem door de scheuren in onze muren, waarbij hij steeds weer zijn naam roept. 'Loo,' klaagt hij, terwijl hij zich over het hele land aankondigt. 'Looooooo...'

VIJFTIG DAGEN ZONDER REGEN

De bladeren van mijn komkommerplanten hebben bruine
randjes en ama en ik moeten ieder twintig keer de berg af naar
de dorpsbron en op onze beurt wachten om water omhoog te
brengen naar het rijstveld.

Mijn stiefvader dommelt in de schaduw met alleen een lenden-
doek om, hij heeft het te warm om zelfs maar de heuvel op te
klimmen voor zijn spelletje kaart.

De baby heeft helemaal niets aan.

Zelfs de hagedissen liggen te hijgen in de hitte.

BEHELPEN

Vandaag hebben de dorpshoofden aangekondigd dat ze het water zullen rantsoeneren.

Vanavond zullen ama en ik de kookpotten schoon schuren met een mengsel van zand en as.

ZESTIG DAGEN ZONDER REGEN

De rijstplantjes zijn bruin en verdord, bedekt met een laag zand. De wind rukt de zwakste plantjes met wortel en al uit en slingert ze de berghelling af.

Tali kruipt naar de bedding van de kreek en laat haar kin op de oever rusten, haar tong zoekt naar water dat er niet is.

De ogen van de baby zijn aangekoekt van het vuil. Hij huilt zonder razernij. Zonder tranen.

MISSCHIEN MORGEN

Vandaag, net als gisteren en de dag daarvoor, en de dag daar weer voor, is de hemel moordend blauw.

Vandaag, zoals elke dag ervoor, zakt het water in het rijstveld een stukje verder en laten de planten hun kop een beetje meer hangen.

Ik kijk toe hoe ama een offer bereidt voor haar godin, een offer van goudsbloemblaadjes, rode kurkuma en een beetje kostbare rijst, om regen af te smeken. Maar het enige water dat valt, komt uit ama's ogen.

Ik veeg het gezicht van de baby weer af met een vochtige lap. Als ama langsloopt, raak ik de zoom van haar rok aan.

'Misschien morgen, ama,' zeg ik.

Mijn stiefvader komt zijn bed uit. 'Als het niet gauw gaat regenen,' zegt hij tegen mijn moeder, 'zul je je oorringen moeten verkopen.'

Gisteren, of de dag daarvoor, of de dag daar weer voor, zou ama hebben gezegd: 'Nooit.'
'Deze zijn voor Lakshmi. Ze zijn haar bruidsschat,' zou ze hebben gezegd.

Maar vandaag laat ze net als de rijstplanten haar hoofd hangen en zegt: 'Misschien morgen.'

WAT ER WEG IS

De volgende morgen sta ik op voor de zon over de berg is geklommen en loop naar de dorpsbron, terwijl mijn voeten bij iedere stap kleine zandstormen veroorzaken.

Als ik thuiskom, merk ik dat het bed van mijn stiefvader leeg is... Hij is achter de hut, vermoed ik, op de latrine. Voor hij terug is en bevelen begint te roepen, sluip ik met het eerste water van die dag naar het lapje grond waar mijn dorstige komkommers staan. Ik licht het blad op waaronder Muthi zich graag verstopt.

Maar ik zie alleen een stengel, die er verbaasd en eenzaam uitziet.

Ananta de slang en zelfs de grote dikke Yeti zijn ook weg, net als alle andere komkommers.

Langzaam begin ik het te begrijpen, en ineens dringt het tot me door dat mijn stiefvader mijn komkommers naar Bajai Sita, de oude koopvrouw, heeft gebracht en ze heeft verkocht. Ik begrijp ook waarom zijn bed leeg is. Zeer waarschijnlijk heeft hij de hele nacht gegokt – en verloren – in het theehuis.

Ik weet dat het zo is wanneer ama de hut uit komt en me niet aankijkt.

Ze pakt de kruik uit mijn hand en giet het water over de paar overgebleven rijstplanten. We binden de kruiken op onze rug, gaan naar beneden naar de bron en praten niet over wat er niet meer is.

TOEN DE REGEN KWAM

Ik rook de regen voor hij viel.

Ik voelde de lucht zwellen als rotideeg en zag de bladeren van de eucalyptus hun zilveren onderkant naar boven draaien om hem te verwelkomen.

De eerste paar druppels verdwenen in het stof. Daarna kwamen de grotere druppels, dik en mals, die de grond lieten openbarsten.

Ama kwam het huis uit en trok haar omslagdoek over haar hoofd. Toen schoof ze langzaam de doek van haar voorhoofd weg en tilde haar afwachtende gezicht naar de hemel, als de bladeren van de eucalyptus.

Ik rende het erf over, maakte Tali los van haar pen en leidde haar naar de rivierbedding, haar tong vol wantrouwen. Toen kwam, beetje bij beetje, een straaltje modderwater door de geul naar beneden huppelen.

Tali likte en snoof en proestte en nieste en dronk zichzelf een ongeluk, terwijl haar magere flanken opbolden van het water.

Ik kneep mijn ogen stijf dicht en liet de tranen die zich daar hadden verzameld eindelijk over mijn wangen lopen, waar ze zich konden verbergen in de regen.

VREEMDE MUZIEK

De volgende morgen word ik wakker van een vergeten
geluid.

Nog voor de rest van ons op is, heeft ama potten en kruiken
verspreid over de vloer van de hut neergezet om het water op te
vangen dat door de spleten in ons dak naar binnen sijpelt.

Ik klim van de slaapzolder naar beneden, rakel het vuur op, zet
een nieuwe pot thee van de bladeren van gisteren en durf ama
niet aan te kijken, want elke druppel is een herinnering aan het
golfplaten dak dat we niet hebben.

Dan wordt de baby wakker. En bij elke druppel
en elke *plink*
en *plop*
en *pling*
lacht hij en klapt in zijn handen.
Elke druppel anders.
Elke *plink*
en *plop*
en *pling*
nieuw en vreemd en als muziek voor zijn piepkleine oortjes.

Ama veegt haar handen af aan haar schort, kijkt met andere ogen
omhoog naar ons oude dak en tilt de baby uit zijn mand. Met
haar rokken zwaaiend om haar enkels als de wolken die rond
de bergtop wervelen, draait ze hem in het rond, haar lach nieuw
en vreemd en als muziek in mijn oren.

MISSCHIEN

Die avond, nadat mijn vader naar het theehuis is vertrokken en de baby in slaap is gevallen, grijpt ama achter een grote kruik naar een kleinere. Ze tast rond achter die kruik naar een nog kleinere, steekt haar hand erin en haalt er een handvol maïs uit.

'Dit heb ik in de droge maanden opzijgelegd,' zegt ze, 'voor een avond' – ze gebaart naar de vallende regen buiten – 'als deze.'

Ze strooit de korrels in de koekenpan, gaat op haar hurken zitten en we kijken hoe ze openbarsten. Ik bied aan de kleine kom gepofte maïs met haar te delen, maar ama heeft nog een verrassing achter de hand.

Ze wikkelt de stof om haar middel los en haalt een van mijn stiefvaders kostbare sigaretten tevoorschijn, en op dat moment zie ik het ondeugende meisje dat ze op mijn leeftijd was.

We zitten bij elkaar, allebei te genieten van onze geheime traktatie en te dromen van de dagen na de regentijd.

'Het eerste wat we gaan doen,' zeg ik, 'is het dak dichtstoppen.'

'Nee, kind,' zegt ze, terwijl ze ernstig rook uitblaast. 'Eerst gaan we de godin dank brengen. Daarna gaan we het dak repareren.'

Ze trekt aan haar sigaret. 'Misschien kunnen we dit jaar bij de landheer om een beetje nieuw stro bedelen,' zegt ze. 'Misschien kun jij het dit jaar bij elkaar binden terwijl ik het met modder dichtklop.'

Op de een of andere manier laat ze, terwijl ze haar gestolen sigaret rookt en ik van mijn gepofte maïs eet, het repareren van het strooien dak klinken als een prettig karwei.

'Met het geld van de oogst van dit jaar,' zegt ze, 'hebben we misschien genoeg om voor jou een nieuwe jurk te maken. Misschien van die rood met gouden stof waar je verlekkerd naar hebt staan kijken in Bajai Sita's winkel.'

Ik sla mijn ogen neer, blij en verlegen tegelijk.

'Misschien,' zeg ik, 'is er genoeg om naar Bajai Sita te gaan en suiker te kopen voor taartjes.'

'Misschien,' zegt ze, 'kunnen we dit jaar extra zaad kopen en het lege lapje grond beplanten achter de hut.'

'Misschien,' zeg ik, 'kunnen we de waterbuffel van Gita's oom lenen. Ik kan de ploeg sturen en jij kunt het zaad uitstrooien.'

Daar zitten we in het flakkerende licht van een ondiep olieschaaltje, al rijk met het geld van de oogst.

Terwijl we treuzelen bij het laatste beetje van onze weelde – ama rookt haar sigaret tot het laatste puntje op, ik veeg een laatste tegenstribbelende maïskorrel met mijn vinger uit de kom – zeggen we niet wat we alle twee weten.

Dat we allereerst de landheer moeten betalen.
En Gita's oom, die ons het zaad van het vorige seizoen heeft verkocht.

En de vrouw van het dorpshoofd, die geen bakolie wilde afstaan
voor werk.
En mijn onderwijzeres, die me haar eigen potlood gaf toen ze
zag dat ik er geen had.
En de eigenaar van het theehuis, die, volgens mijn vader,
vals speelt met kaarten.

In plaats daarvan treuzelen we bij een weelde die niets kost:
ons inbeelden wat zou kunnen.

WAT DE REGENTIJD DOET

In de regentijd regent het niet altijd.

Meestal is er 's morgens een bui die gekleurde strepen aan de hemel achterlaat.

En nog een in de middag die de rijstplanten vlezig en slaperig maakt.

Maar de hele nacht valt er een lange, kletsnatte regen die de voetpaden in modder verandert en de harten verkwikt.

TE VEEL VAN HET GOEDE

Acht dagen en acht nachten met alleen maar regen.
Gordijnen van regen die me verblinden, zelfs op het korte,
vertrouwde pad naar de latrine.

PROBEREN TE HERINNEREN

De regen is zo hevig, zo hardnekkig, zo meedogenloos, hij vindt elke spleet in ons dak.

Ama en ik vullen de muren op met lapjes stof, maar elke dag brokkelen ze een beetje meer af.

Als de zon zich een heel enkele keer laat zien, verzamelen de vrouwen zich op de helling, schudden het hoofd en zeggen dat het de ergste regentijd is in jaren.

Na nog een paar dagen met helemaal geen zon komen de dorps-hoofden in het theehuis bij elkaar en vragen de heilige man of hij een speciaal gebed wil zeggen om het te laten ophouden.

Ik blijf thuis bij het vochtige brandhout dat sist en rookt en pro-beer de baby geen kou te laten vatten. Hij vecht met zijn deken, verveeld en chagrijnig van dagen achter elkaar binnen zitten.

Terwijl ik me de dagen probeer te herinneren dat de hitte zo hevig was, zo hardnekkig, zo meedogenloos dat we om deze regen baden.

HOE ONHEIL KLINKT

Als de nachtelijke regen de grond zo doorweekt dat hij geen water meer opneemt, als de lemen muren rond het rijstveld afbrokkelen, als de rijstplanten één voor één uit de grond worden gezogen en de helling af spoelen, zou je iets moeten horen, een geluid dat aangeeft dat er iets heel erg mis is.

In plaats daarvan valt er een spookachtige stilte die ons duidelijk maakt dat we alles kwijt zijn.

EEN BITTERE OOGST

Ik zeg tegen ama dat ze niet moet huilen, dat er vast nog een paar rijststengels over zijn op ons veld. Ik ren naar buiten en plas door wat er nog over is van ons rijstveld. Met wanhopige handen klauw ik in de modder.

Als ik uiteindelijk, met pijnlijk lege handen, rechtop ga staan, zie ik Gita's familie op het lapje grond onder het onze. Gita's vader bracht zijn middagen niet door in het theehuis, maar op het rijstveld, waar hij muren omheen bouwde die de regentijd konden trotseren. Nu staat hij met zijn gezicht naar de zwaluwstaartpiek, zijn handen gevouwen in een dankgebed. Zijn rijstplanten nijgen naar de zon, zijn kleine jongen plast door de modder.

Mijn maag speelt op van iets bitters. Ik weet niet of het van de honger is.
Of van afgunst.

DE PRIJS VAN EEN LENING

Mijn stiefvader is al een week en een dag weg. Hij zei dat hij zijn broer twee dorpen verderop een bezoek ging brengen om hem om een lening te vragen. Maar als ik de eigenaar van het theehuis uit zijn ooghoeken naar ama zie loeren, vraag ik me af of mijn stiefvader is weggelopen.

Ama is al sinds het aanbreken van de dag weg. Ze zei dat ze naar het dorp ging om onze kip en haar kuikens te verkopen. Maar als ik me Bajai Sita en haar kleine hagedissengezicht voor de geest haal, vraag ik me af of ama meer dan een zakje rijst zal krijgen.

Ama en ik kunnen zonder eten, maar de baby begint lusteloos te worden. Als hij nu in zijn mand ligt te dreinen, verlang ik naar zijn gekrijs dat ik altijd verwenste.

Ik kijk uit naar ama op het pad beneden, en vraag me af wat we hierna zullen kwijtraken.

Later, als ik haar de heuvel naar onze hut op zie klimmen, weet ik het.

Het is het vrolijke getinkel van haar oorringen.
En de fiere houding van haar hoofd.

HOE LANG ZAL HET DUREN?

Hoewel het pad voor onze hut is weggespoeld, komt er een stoet mensen aan de deur.

De eerste is de landheer.

Hij vraagt naar mijn stiefvader, maar ama zegt dat zij deze keer de huur zal betalen. Ze wikkelt de band van haar onderrok los, haalt een handvol roepiebiljetten uit haar geldbuidel en stuurt hem weg.

Dan komt Gita's oom. Hij kijkt naar ons rijstveld, naar onze hut, vervolgens naar de baby, en zegt dat hij genoegen zal nemen met de helft van wat we hem schuldig zijn.

De vrouw van de hoofdman is de volgende. Ze zegt dat het volledige bedrag betaald moet worden, plus vijftig roepie extra als rente.

Ik ga niet naar school, om niet met lege handen voor mijn mooie onderwijzeres met het vollemaansgezicht te hoeven staan.

We eten rijst met linzen van het geld dat ama voor haar oorringen heeft gekregen. De baby eet kwark en fruit en wordt weer dik en rumoerig. Op een avond maakt ama taartjes met de suiker uit Bajai Sita's winkel. Mijn maag protesteert een beetje, niet gewend aan dergelijke weelde, maar ik laat het ama niet merken, die toekijkt, maar niet eet.

Als we 's avonds bij het licht van de lamp zitten, zijn we gelukkig.

Maar ik vraag me af hoe lang het zal duren voordat de eigenaar van het theehuis aan onze deur klopt.

Of hoeveel nachten voordat mijn stiefvader thuiskomt met weer een schuld die afbetaald moet worden.

Of, als hij nooit meer terugkomt, hoe lang voordat het geld in ama's onderrok opraakt.

VREEMDELING

Een vreemde man klimt in de richting van onze hut. Hij draagt een stadse jas en een driehoekige hoed, hoog aan de ene kant, laag aan de andere, net als de hoed die de landheer op betaaldag op heeft.

De vrouwen bij de bron hadden het over mannen van de regering die geld uitdelen aan mensen die papieren tekenen.

Ik zal ama de woorden voorlezen en haar wijzen waar ze moet tekenen. Dan hoeven we nergens meer zorgen over te hebben.

Maar plotseling ben ik bang. Ik heb nooit met een man uit de stad gesproken. Dus ren ik naar binnen en bespied hem door het raam.

Ama staat voorovergebogen in het veld. Ze gaat recht staan, ziet de man en loopt naar hem toe. Dan knielt ze, en raakt met haar voorhoofd zijn voeten aan.

Op dat moment zie ik dat deze vreemdeling mijn stiefvader is, in een stadse jas met brede schouders en een hoed die op zijn hoofd staat als een scheve bergspits.

Ama komt overeind en loopt naar het vuur om hem wat linzen te geven. Terwijl ze langsloopt, brengt ze haar vinger naar haar lippen.

'Zelfs een man die het kleine beetje wat we hebben vergooid aan een dure hoed en een nieuwe jas,' zegt ze, 'is beter dan helemaal geen man.'

HET FESTIVAL VAN HET LICHT

Op de eerste dag van het festival eren we de kraaien. We zetten offergaven van rijst buiten, omdat kraaien de boodschappers zijn van de god van de dood.

Op de tweede dag eren we de honden. We maken met poeder een rode stip op hun voorhoofd en leggen kransen van goudsbloemen om hun nek, omdat honden de gidsen zijn naar het land van de doden.

En op de derde dag maken we onze huizen van onder tot boven schoon.
In de schemering zetten we tientallen olielampjes buiten om Lakshmi welkom te heten, de godin naar wie ik vernoemd ben en die de aarde rond zal gaan om rijkdom en zegen te schenken aan wie nederig en rein is van geest.

Ons gezin kan geen rijstkorrel missen voor de kraai en heeft niets voor de zwerfhond, behalve een schop met de sandaal van mijn stiefvader.

Toch zegt ama dat we ons moeten voorbereiden op Lakshmi's komst. Ama veegt elke hoek van onze hut en brengt de dekens naar buiten om te luchten. Daarna draait ze kleine lapjes stof tot lonten, die ze elk met een druppel olie in ondiepe schaaltjes legt.

Als ik klaar ben met mijn karweitjes, ga ik buiten in de zon voor onze hut zitten en rijg een ketting van goudsbloemen. We hebben geen hond, dus maak ik de slinger voor Tali. Maar als ik de krans over haar kop wil leggen, deinst ze achteruit. Ik krab op het plekje tussen haar oren, precies waar ze het lekker vindt. Op het moment dat ze haar kop laat zakken van genot, laat ik de slinger om haar nek glijden.

Ze snuift en niest en schudt haar kop heen en weer. Dan buigt ze ver omlaag, met haar oor tegen de grond, en probeert zich eruit te kronkelen. Uiteindelijk komt ze overeind, en met één fiere, ongeduldige ruk van haar kop smijt ze de slinger in het stof. En eet hem op.

Ama loopt langs en lacht. 'Die geit is misschien toch niet zo stom,' zegt ze.

EEN VEELBELOVENDE AVOND

Duizenden sterren zijn op aarde gevallen.

Zo ziet het er in elk geval voor mij uit als ik voor onze hut zit en langs de berghelling omlaag kijk naar alle huizen beneden: elke vensterbank en elke deuropening is versierd met kleine lantaarns, die de weg verlichten voor de godin Lakshmi.

'Dit is een veelbelovende avond,' zegt ama. Haar vlugge, stevige vingers vliegen door mijn haar terwijl ze de strengen in vlechten draait. 'De godin Lakshmi zal onze lichtjes zien en ons geluk brengen.'

Mijn stiefvader komt de hut uit met zijn koninklijke hoed en jas met brede schouders. Hij klopt op zijn borst en ik zie ama's geldbuidel rond zijn hals.

'Dit is een veelbelovende avond,' zegt hij. 'Dit is de avond waarop de godin gokkers gunstig gezind is.'

En omdat het mijn lievelingsnacht is, het festival van de godin naar wie ik genoemd ben, geloof ik hem maar.

OP HET FESTIVAL

Ama en ik wandelen naar het dorp beneden, met mijn broertje op
haar rug. Als we dichter bij het vreugdevuur komen, drukt ama
een geldstuk in mijn hand. 'Koop daar maar een taartje voor,'
zegt ze, 'net als de andere kinderen.'

Ik zeg dat ik geen kind meer ben. Ik zeg dat ze haar geld niet
moet verkwisten. Maar ze wil er niet van horen.

'Vanavond ben je een kind,' zegt ze.

BELOFTE

Terwijl ik voor het vreugdevuur sta en de laatste taartkruimels van mijn vingers lik, komt er een stadse vrouw naast me staan. Ze heeft een jurk aan van gele gevlamde zijde en wel honderd zilveren banden om haar polsen en enkels. Ze ruikt naar amber en nachtbloemen.

'Waar ik woon,' zegt ze, 'krijgen de meisjes elke dag taartjes.'

Deze deftige vreemdelinge lijkt het tegen mij te hebben. Ik bekijk haar slinks van opzij.

Ze lacht en trekt met de waardigheid van een koningin haar omslagdoek voor haar mond.

Ik trek mijn omslagdoek ook voor mijn gezicht, zie dat ik de handen van een boerenmeid heb en stop ze in de zakken van mijn daagse rok.

'Stadsmeisjes hebben mooie jurken,' zegt ze vanachter haar gele wolk. 'En mooie snuisterijen. Ze eten elke dag sinaasappels, dadels en mango's. Het leven is daar goed.'

'U?' vraag ik met een piepstem. 'Bent ú een dienstmeisje?'

De stadse vrouw lacht, nog steeds met de punt van haar omslagdoek voor haar mond, maar ze geeft geen antwoord.

'Zou je met me mee willen naar de stad?' vraagt ze. 'Dan zal ik je tante zijn.'

Ik knik ja, schud van nee en ren terug naar ama, aan wie ik niet durf te vertellen over deze nieuwe tante die naar amber en jasmijn ruikt, en naar belofte.

BUITENKANS

Midden in de nacht worden we wakker van een donderend gebulder voor onze hut. Ama en ik gaan naar beneden en zien mijn stiefvader op een machine met twee wielen en een metalen gewei zitten.

'Het is een motorfiets,' zegt hij. 'Ik heb hem gewonnen van een jongen uit de stad die thuis is voor het festival.'

Het metalen beest kucht en er komen grote rookwolken uit zijn staart.
'Ik zei toch dat dit een veelbelovende avond was,' zegt mijn stiefvader.
Ik zie niet hoe dit ding ons van nut kan zijn.

Maar ama omhelst me en fluistert in mijn oor dat we het beest bij Bajai Sita zullen inruilen. In een flits zie ik het allemaal voor me. We zullen ama's oorringen terugkopen, genoeg geld hebben voor een blik bakolie, een zak meel, een nieuwe jurk voor mij en een voor ama, een jasje voor de baby, een golfplaten dak.

Wie weet, denk ik met tegenzin, misschien wel genoeg voor een nieuw vest voor mijn stiefvader.

DE VOLGENDE DAG

's Morgens is mijn stiefvader al vroeg in de weer met het liefdevol
verzorgen van zijn beest.
Hij poetst het op met een lap en praat ertegen alsof het een baby
is.

'We gaan naar het theehuis,' zegt hij tegen het beest, 'zodat
iedereen jaloers kan worden op mijn fortuin.'

Maar het beest weigert op zijn voorstel in te gaan. Het boert en
laat winden, maar het wil niet bulderen zoals afgelopen nacht.
Mijn stiefvader schopt het en vloekt ertegen, tot het uiteindelijk
grommend reageert. Slippend en glijdend rijdt hij door de
modder weg.

BIJ NACHT EN ONTIJ

Het is bijna donker als mijn stiefvader terugkomt van het thee-huis.

Het beest is nergens te bekennen, en mijn stiefvader is te voet, zonder zijn stadse jas of zelfs maar zijn hoed.

Ama rent naar de deur, kijkt en draait dan haar gezicht naar de hoek zodat hij zich niet hoeft te schamen als hij binnenkomt en de ladder op klimt naar de slaapzolder.

EEN KLEINE AARDBEVING

Ama moet de volgende ochtend met een kop hete thee over-gehaald worden om uit bed te komen. Ze zegt dat ze niet ziek is, maar ze ziet eruit alsof ze een zware ziekte onder de leden heeft.

Ik stop de baby in een mand op mijn rug en begin aan mijn kar-weitjes, maar houd de hele tijd ama in de gaten. Ze beweegt zich langzaam en met moeite en stopt vaak met haar werk om haar hoofd te schudden en te zuchten.

's Middags warm ik het restje soep van gisteren op, voer het aan de baby en snoer de band van mijn onderrok aan zodat mijn eigen hongerige maag denkt dat hij vol is. Dan ga ik op zoek naar ama, zodat zij de kom kan schoonvegen met het laatste korstje brood. Als ze niet reageert op mijn geroep, ga ik naar buiten en vind haar huilend verstopt achter Tali's stal.

'Wat is er, ama?' vraag ik.

Ama veegt haar wang af met de punt van haar omslagdoek. 'Je stiefvader heeft gezegd dat je naar de stad moet om de kost te verdienen als dienstmeisje.'

Dit nieuws is als een kleine aardbeving die de grond onder mijn voeten laat trillen. Maar toch houd ik me goed, voor ama.

'Dat is goed nieuws, ama,' zeg ik met een stem vol overmoed waarvan ik niet wist dat ik die had. 'Dan is er hier een mond minder te voeden en kan ik mijn loon naar huis sturen.'

Ama knikt zwakjes.

'Als ik ga, zul je genoeg geld hebben voor rijst en kwark, melk en suiker. Genoeg voor een jasje voor de baby en een trui voor jou.'

Ze glimlacht flauwtjes en streelt met haar versleten werkhand over mijn wang.

'Genoeg voor een golfplaten dak,' zeg ik.

STADSE GEWOONTEN

In de stad, zegt ama, maken de mensen de vloer schoon met de
ene lap en de vaat met een andere. Zorg dat je ze niet verwisselt,
anders loop je kans op een pak slaag.

Sta 's morgens vroeg op, voor alle anderen in huis, en ga 's avonds
als laatste naar bed. Ga nooit zitten in het bijzijn van je meesteres
of haar man, zelfs niet in aanwezigheid van de kinderen. Eet
's avonds pas als zij naar bed zijn. Daaruit zal blijken dat je een
harde werkster bent.

Verstop je loon in je blouse. Op die manier, zegt ze, ben je iedereen te slim af die denkt dat je je geld in je onderrok bewaart.

Eet nooit iets wat uit een papieren verpakking komt. Je weet niet
wie het heeft klaargemaakt.

Doe een snuifje kardemom bij de rijst, zegt ze. Dan vult hij meer.

Blijf twee stappen achter je meesteres als je haar helpt bij het
inkopen doen, en houd je hoofd omlaag tussen de mensen zodat
de stadse mannen je gezicht niet kunnen zien.

Zeg elke dag je gebeden en was je rok en blouse eens in de maand.

'We zullen trots op je zijn,' zegt ama, 'omdat je als eerste lid van
ons gezin de berg verlaat. En misschien mag je volgend jaar rond
het festival van je meesteres naar huis komen om ons te bezoeken.
Dan kun je ons alles vertellen over de wereld voorbij de onze.'

EEN RUILHANDEL

De volgende dag brengt mijn stiefvader me naar Bajai Sita's winkel. Hij heeft ama's lege mand voor brandhout bij zich, maar toch heeft hij zijn overhemd en beste broek aan en zijn polshorloge om.

'Lakshmi wil in de stad gaan werken,' zegt hij tegen Bajai Sita.

Ik voel mezelf groeien door zijn woorden.

Bajai Sita bekijkt me met haar kleine hagedissenogen. 'Is het een harde werkster?' vraagt ze.

'Ze moet af en toe een pak rammel hebben,' zegt mijn stiefvader, 'maar ze is niet zo lui als sommige anderen.'

Mijn wangen branden van verontwaardiging, maar ik zeg niets.

'Zul je alles doen wat er van je gevraagd wordt?' vraagt ze.

Ik knik.

Ik zal een aparte lap gebruiken om de vaat te doen, wil ik tegen haar zeggen, en ik zal wachten met eten tot 's nachts.

'Ja,' zeg ik. 'Ik zal doen wat me gezegd wordt.'

Ze verdwijnt achter een gordijn en komt terug met de vreemdelinge in de gele jurk.

De vrouw neemt me van top tot teen op en richt dan het woord tot mijn stiefvader. 'Hoeveel wil je voor haar hebben?' vraagt ze met haar sluier voor haar mond.

Mijn stiefvader knijpt zijn ogen tot spleetjes. Hij neemt de dure stof van haar jurk in zich op, de versieringen in haar oren, de zilveren banden om haar pols. 'Duizend roepie,' zegt hij.

Zoveel roepies zijn er op de hele wereld niet! Ik krimp ineen bij zijn domheid en bid dat deze deftige en mooie stadsmevrouw hem niet de winkel uit lacht.

In plaats daarvan wenkt ze hem naar de achterkamer. 'Ze heeft geen heupen,' hoor ik haar zeggen. 'En ze is zo alledaags als een bord pap. Ik geef je vijfhonderd.'

Ik begrijp het niet. Ik kan een vracht brandhout tillen die zo zwaar is dat een volwassen man er moeite mee zou hebben, en mijn benen zijn stevig genoeg om tientallen keren per dag de berg op te klimmen. Wat geeft het dat ik nog geen heupen heb?

Mijn stiefvader zegt dat hij op de hoogte is van de gangbare prijs voor een jong meisje als ik. 'Niet minder dan achthonderd.'

'Je krijgt de helft nu en de rest als ze bewezen heeft wat ze waard is,' zegt ze.

Mijn stiefvader bromt iets en hij en de vrouw komen terug.

Bajai Sita haalt een rol roepiebiljetten uit haar onderrok en vouwt die open.

Mijn stiefvader telt het geld, en telt het dan nog een keer.

'Je familie krijgt niets, niet één roepie, als je je nieuwe tante niet gehoorzaamt,' zegt Bajai Sita. 'Heb je dat begrepen?'

Nee. Ik begrijp het helemaal niet. Er is zojuist een groot bedrag betaald voor werk dat ik nog niet eens heb gedaan. Maar ik knik.

Mijn stiefvader telt het geld nog een keer.

'Zeg tegen ama dat ze trots op me kan zijn,' zeg ik. 'Zeg haar dat ik voor het volgende festivalseizoen naar huis kom.'

Maar zijn ogen zijn op de koopwaar in Bajai Sita's schappen gericht. Hij pakt er dingen vanaf en stopt ze in ama's lege mand: een slof sigaretten, een zak snoep, kauwgum, een fles rijstwijn en een nieuwe hoed.

Terwijl hij bij Bajai Sita staat af te dingen op een horloge waar hij zijn oog op heeft laten vallen, leg ik twee dingen in de mand: een trui voor ama en een jasje voor de baby.

Het is een rijke en gelukkige dag voor mijn familie, een dag van achthonderd roepie, een feestelijke en veelbelovende dag, en dus doe ik er nog iets bij voor ama: een dure traktatie die alleen de vrouw van de hoofdman zich kan veroorloven, een fles Coca-Cola, de zoete drank waarvan mensen zeggen dat hij smaakt naar kleine vuurwerkjes in je mond.

Mijn stiefvader kijkt kwaad, maar hij zegt niets. Op geen enkele andere dag zou hij zoveel eigenwijsheid accepteren, vooral niet van zomaar een meisje.
Maar vandaag ben ik niet zomaar een meisje.

EEN LAATSTE BLIK

Als tante en ik de winkel uit gaan, zie ik Krishna met zijn geitenkudde het zandpad af komen. Hij fluit en spoort een achterblijver zachtjes aan zich bij de andere geiten te voegen door hem met een lange stengel olifantengras te kietelen.

Ik bid dat hij mijn kant op zal kijken, maar zoals altijd zijn zijn ogen op de grond voor hem gericht. Ik wil hem vertellen waar ik naartoe ga, hem zeggen dat ik zo snel als ik kan terug zal komen met een bruidsschat in roepies. Ik wil hem zeggen dat hij op me moet wachten.

'Ogen naar voren,' zegt tante. 'Achterom kijken heeft geen zin.'

Ik laat mijn hoofd zakken en gehoorzaam.

Maar als we aan de rand van het dorp komen, draai ik me voor een laatste keer om. En werp een laatste stiekeme blik op de jongen die ik zolang ik me kan herinneren met mijn ogen heb gevolgd.

DOORLOPEN

Tante zegt dat ik voor haar uit moet lopen, ook al weet ik de weg niet.

'Ik ben vlak achter je,' zegt ze.

Ik ben te verlegen om haar te zeggen dat ik niet zal weglopen, te bedeesd om haar te vertellen hoe trots en zenuwachtig en opgewonden ik ben om de eerste van ons gezin te zijn die de berg verlaat.

Ik voel iets in mijn kuiten prikken en realiseer me dat tante een handvol grind naar mijn voeten heeft gegooid. Om me door te laten lopen.

EEN NIEUWE WERELD

We hebben de hele dag gelopen. We zijn door drie dorpen
gekomen, waar de mensen hun werk onderbreken om ons aan
te gapen, en waar zelfs de waterbuffels ons met de ernstige
ogen van oude mannen aanstaren.

Ik staar ook, naar alles wat ik nog nooit heb gezien.
Een man met een everzwijn aan een touw.
Een kudde jaks met zakken zout op hun rug.
Een postbezorger die met een stel bellen rinkelt wanneer hij
bij een dorp komt.
Een voetbrug van touw, gespannen als een spinnenweb.
Een rivier met wit water.
En een man met tanden helemaal van goud.

Ik vraag tante hoe ze de weg naar de stad weet. Ze zegt dat we
alleen maar de voetstappen volgen van allen die ons voor zijn
gegaan.

Ik probeer elke hut, elk dorp in mijn herinnering op te slaan.
Ik probeer elke bocht in de weg te onthouden, zodat ik volgend
jaar met het festival de weg terug naar huis kan vinden. Maar
als ik mijn ogen dichtdoe, lijkt elke hut, elk dorp en elke bocht
in de weg op de andere. En als ik mijn ogen opendoe en
achteromkijk, bewegen de poinsettia's in de wind, alsof ze
in vuur en vlam staan.

Het is een andere wereld.
Maar iets blijft hetzelfde:

de machtige zwaluwstaartpiek.
Hoe verder we lopen, hoe kleiner hij wordt,
maar hij is er altijd en wacht om me de weg terug te wijzen.

WAT IK DRAAG

In de bundel die ama voor me heeft ingepakt, zitten:
mijn kom,
mijn haarborstel,
het schrift dat ik van de onderwijzeres heb gekregen, omdat ik de
eerste van alle meisjes op school was,
en mijn beddengoed.

In mijn hoofd draag ik mee:
mijn babygeitje,
mijn babybroertje,
het gezicht van mijn ama,
de toekomst van ons gezin.

Mijn bundel is licht.
Mijn hoofd is zwaar.

VRAGEN EN ANTWOORDEN

Tante en ik lopen al tweeënhalve dag.

We zijn door zeven dorpen gekomen, elk dorp onzichtbaar voor het andere vanwege de berg tussen hen in, maar elk dorp hetzelfde, met vrouwen die wasgoed op stenen slaan bij de dorpsbron en mannen die met gekruiste benen in de theehuizen zitten.

We gaan heuvels op en af, volgen soms een zandpad, soms een lege rivierbedding. Soms volgen we geen enkel pad.

Als we stoppen om te rusten, trekt tante een pakje sirihtabak uit de band van haar onderrok. Ze stopt een pluk ervan achter haar wang, schommelt heen en weer op haar hurken en kauwt.

'Tante,' zeg ik op het laatst, 'vertel eens over de stad.'

Ze spuugt en een stroom rood sirihsap komt op de grond tussen ons in terecht.
'Die moet je maar zelf zien.'

'Is het waar dat alle daken met goud bedekt zijn?'

'Waar heb je dat vandaan?' vraagt ze.

'Van school.' Ik wil dat tante weet dat ik geen dom meisje ben. Ik heb geleerd.

Ze spuugt weer en zegt dat ik heel slim ben, dat ik het ver zal brengen in de stad.

Ik heb wel honderd vragen:
Hoe lang duurt het voor we daar zijn?
Hoe spreek ik mijn meesteres aan?
Hoe kan ik Gita vinden?

Maar ik vraag er maar een:
'Wat zijn films voor iets?'

Tante zegt dat mensen in de stad bij elkaar komen en geld betalen om mooie vrouwen en knappe mannen een voorstelling te zien geven. De mensen in die voorstelling heten filmsterren.

'Bent u een filmster, tante?'

Ze lacht, en dan zie ik wat er achter de omslagdoek zat die ze altijd voor haar mond trekt: een mond vol zwarte tanden.

Ik lach terug, maar vanbinnen ben ik een heel klein beetje bang voor mijn nieuwe tante.

EEN RAMPZALIG BEGIN

Bij het negende dorp zegt tante dat we de rest van de weg zullen rijden. Mijn voeten danken haar in stilte terwijl ik aan de kant van de weg zit te wachten tot er een ossenkar verschijnt.

Ze wijst naar een ijzeren wagen met twee mannen erin en zegt dat ik achterop moet gaan zitten, bij de komkommers en de kippen. Ik klim naar boven met mijn bundel, terwijl tante voor instapt. Plotseling buldert het beest, wel honderd keer luider dan de motorfiets van mijn stiefvader, en ik schreeuw het uit van schrik.

De kar schiet naar voren. Plotseling bewegen we snel over het zandpad terwijl hutten-winkels-hutten-winkels onduidelijk voorbijrazen.

Ik krijs net als de kippen, sla een hand voor mijn mond om het te laten stoppen, en schreeuw het weer uit als die bulderende, slingerende kar bij elke geul in de weg schokt en stoot, tot ik op het laatst moet lachen omdat het zo waanzinnig is.

Maar al snel voel ik mijn ontbijt van thee en rijstwater omhoogkomen. Ik klem mijn tanden op elkaar. Maar het bittere goedje golft op mijn tong en vliegt zonder waarschuwing mijn mond uit.

Ik veeg mijn mond af. Algauw lach ik weer. Omdat, terwijl ik hier achterin meehots, alleen de kippen weten van dit rampzalige begin van mijn reis.

DE STAD

We hobbelen al uren over een landweg als onze kar gezelschap krijgt van een andere, en weer een en nog een. Bij sommige zitten mensen binnen. Andere hebben mensen bovenop. Bij sommige zitten er dieren in. Andere hebben dieren bovenop. Sommige karren mekkeren als geiten. Andere zoemen als muggen. Sommige hebben twee wielen, andere drie, en weer andere hebben er te veel om te tellen. Algauw is de weg een en al gekte en lawaai.

Dit moet de stad zijn.

EN DAN

Terwijl onze kar zich een weg baant,
draai ik mijn hoofd nu eens naar de ene kant,
dan weer naar de andere,
en zie
een man die hete gepofte maïs in een papieren koker schept,
en dan
een kapper die het gezicht van een oude man inzeept, en dan
een jongen die veren plukt van een levenloze kip, en dan
een orenwasser, wiens klant gromt van voldoening, en dan
een vrouw wier armen behangen zijn met honderden
halssnoeren, en dan
een man met een fluit, die een slang uit de mand naar boven
wil laten komen, en dan
een kleermaker die op de trapper van zijn naaimachine trapt, en dan
een botverkoper die zijn koopwaar laat rammelen, en dan
een vrouw met een mand vol dadels, en dan
een varken dat in een hoop afval snuffelt, en dan
een jongen die olie uit een blik lepelt, en dan
een man die losse stukken motorfiets verkoopt, en dan
een meisje dat goudsbloemen aan een draad rijgt, en dan
een man met kratten duiven te koop, en dan
een vrouw die thee serveert, en dan
een jongen die schoenen poetst, en dan
een waterbuffel die in de schaduw dut, en dan
een man die komkommers verkoopt, en dan
een man die een gebed opzegt, en dan
een man die hete gepofte maïs in een papieren koker schept.

En dan vraag ik me af
wat er in deze krioelende, jachtige stad
met mij zal gebeuren.

IN DE BUS

De kar waar we nu in rijden heet 'bus'. Dat weet ik niet zeker, maar volgens mij heet hij zo omdat tante zei: 'Ga me niet van alles en nog wat vragen als we in de bus zitten.'

Dit is wat ik tot nu toe weet:
De karren met kippen en schapen achterop heten vrachtwagens.
Die met mensen erin zijn auto's.
Ze gaan vooruit door een vuur vanbinnen.
De mensen wonen hier in hutten met harde muren die op elkaar gestapeld zijn.
Stadsmensen zijn niet boos op elkaar; ze groeten elkaar niet omdat ze elkaar niet kennen.
De bus heeft zachte banken en er kan een dorp vol mensen in.
Hij ruikt naar uien en kerrie en sigarettenrook en naar een baby die het in zijn luier heeft gedaan, en naar andere dingen waarvan ik de naam niet weet.

De man naast me snuit zijn neus door het open raam, hij duwt zijn ene neusgat dicht en blaast door het andere, en even ben ik bang dat ik mijn eten weer zal kwijtraken.

Tante slaapt, haar hoofd hangt zwaar op mijn schouder.
Ik verroer me niet.

Ik kijk uit het raam.

Een man met een tafel op zijn rug gebonden loopt midden op de weg. De bus blaat en de man stuift opzij als een hagedis die zijn hol in schiet. Een koe slaapt midden op de weg. De bus rijdt eromheen.

Een andere bus met nog een dorp vol mensen komt recht op ons af, glipt dan naast ons en rijdt in een windvlaag voorbij. In het begin schreeuw ik het bijna uit. Maar dan zie ik de onbewogen gezichten van de stadsmensen om me heen en begrijp ik dat zoiets hier niet hoort.

Ik bestudeer het uitzicht aan de voorkant van de bus op de manier zoals ik de letters op school bestudeerde. Geleidelijk aan begin ik een soort orde in al die wanorde te zien, een patroon in het geheel. Het werkt als bij een rivier, waarbij de stromen van bussen en vrachtwagens en mensen en dieren door en om elkaar heen vloeien. Als je goed kijkt, verandert wanorde in orde op de manier zoals letters in woorden veranderen.

Deze stad is niet zo moeilijk. Je moet er gewoon een studie van maken.

Tante heeft gelijk. Ik zal het hier ver brengen.

IK ZIE EEN MEISJE MET EEN DIKKE LANGE VLECHT

Er zijn duizenden meisjes in de stad.
Maar tot nu toe is geen van hen Gita.

DE WEG KWIJT

Ik begrijp het niet.

De bus is de stad uit gereden.

En we rijden over een harde zwarte weg.

Iedereen in de bus slaapt.

En waar ik ook kijk,

ik zie de zwaluwstaartpiek niet.

NOG MEER VRAGEN

Als de zon opkomt, beginnen de mensen in de bus zich te roeren. Een man met een haan in een ijzeren mand gooit een doek over het dier, maar de oude vogel laat zich niet beetnemen; hij kondigt hardnekkig de nieuwe dag aan.

Als tante wakker wordt, vraag ik haar waarom we niet meer in de stad zijn.
Ze zegt dat ik me geen zorgen moet maken.
'Dat was maar een kleine stad,' zegt ze. 'We gaan naar een veel grotere stad, een voorname stad, een stad aan het water.'

Ik put wat troost uit haar woorden. Dit verklaart waarom de daken van de eerste stad niet met goud bedekt waren.
Maar ik maak me ook zorgen. Als er twéé steden zijn, in welke is Gita dan?

NIEUWE KLEREN

We zijn door een stuk of zes steden gereden en komen aan bij een vreemde stevig ommuurde hut met veel kamers. De familie hier schijnt veel ama's te hebben, een paar mannen, maar geen kinderen.

Tante neemt me mee naar een van de kamers. Hij is leeg op een vuile rieten mat na. 'Doe die vuile bergkleren uit,' zegt ze.

Het hoort niet om je in de aanwezigheid van iemand anders uit te kleden en daarom wacht ik tot tante de kamer uit gaat. Maar die klokt met haar tong als een boze kip en zegt dat ik die achterlijke plattelandsmanieren zal moeten afleren. Dan geeft ze me een roze jurk van gevlamde zijde en een paar schoenen.

'Voor mij?' vraag ik.

Ze maakt weer dat klokkende geluid en zegt dat we niet de hele dag hebben.

Ik loop naar de hoek, draai haar mijn rug toe, stroop mijn kleren af en til dan de zachtroze petticoat over mijn hoofd. De nieuwe jurk lijkt van één lang stuk stof te zijn, zonder begin of eind, en van zo'n fijn en licht materiaal dat ik me er meer bloot dan gekleed in voel.

Tante draait me naar zich toe. Ik bedek mezelf met mijn handen, maar tante trekt ze weg en zegt dat ik een hopeloze boerentrien ben. Ze wikkelt de stof rond mijn middel, en nog een keer, slaat hem dubbel en stopt hem in bij mijn heup. Ik kan me niet voor-stellen hoe ik vrij kan rondlopen in zo'n lange loshangende japon, of hoe ik brandhout moet halen en de vloer moet schrobben in zo'n mooie dunne jurk.

Tante wijst naar de schoenen. 'Die zijn voor je voeten,' zegt ze.

Ik wil haar laten weten dat ik weet wat schoenen zijn, dat ik een paar sandalen had toen mijn vader nog leefde. Maar mijn voeten, bloot, ruw en vuil van drie dagen lopen, zouden mijn woorden op leugens doen lijken. Dus doe ik de schoenen aan alsof ik dat alle dagen doe.

Onmiddellijk beginnen mijn voeten luid te protesteren. Deze schoenen zijn niets anders dan kleine nauwe dozen. Terwijl ik mijn oude daagse kleren in mijn bundel prop, knijp ik mijn tenen samen als een vleermuis die zich aan een tak vastklemt, en ik probeer tante bij te houden als ze haastig de kamer uit loopt.

GETALLEN

Tante spreekt met een man in een taal die ik niet versta. Sommige woorden klinken bekend, maar de meeste schieten langs me heen als de hutten-winkels-hutten-winkels en doen pijn aan mijn hoofd door de snelheid van die stadse manier van praten.

Het lijkt alsof ze het nu over mij hebben. De man, met een neus als een knolraap, wijst naar mij en vraagt iets aan tante. Het antwoord komt, voor zover ik kan nagaan, neer op het getal twaalf.

Hij richt zijn ogen op mij in mijn roze jurk, en ik verbeeld me dat hij er dwars doorheen kijkt. Ik sla mijn armen voor mijn borst. 'Hoe oud ben je?' vraagt hij in mijn taal.
Ik zeg dat ik dertien ben.

Hij keert zich om en slaat tante in haar gezicht, en ze verandert van een vrouw met koninklijke waardigheid in een bang kind.

De man met de knolraapneus laat een stroom boze woorden ontsnappen die ik niet kan volgen, maar ik begrijp dat ik iets verkeerd heb gedaan. Ik val op mijn knieën en smeek de man om vergiffenis.

Maar hij en tante lachen. Ze praten in een vreemde taal, maar het lijkt of ze getallen uitwisselen.

Tante noemt een prijs zo hoog als een berg.
De man spuwt op de grond.
Tante noemt een ander getal.

De man met de knolraapneus antwoordt met een lager bedrag.

Tante gaat omhoog.

De man gaat omlaag.

Ten slotte worden ze het eens en de man geeft tante een rol roepiebiljetten.

Ik weet niet waarover ze het eens zijn geworden.

Maar dit weet ik wel:

hij geeft haar bijna genoeg geld om een waterbuffel te kopen.

OOM ECHTGENOOT

Tante is weg en heeft mij alleen in de kamer achtergelaten met de man met de knolraapneus. Ik ben nog nooit alleen geweest met een man die geen familie is. Ik trek mijn omslagdoek over mijn hoofd en verberg me achter de roze gevlamde zijde. Maar de man komt dichterbij, zo dichtbij dat ik de ranzige stank van zijn haarolie kan ruiken.

Hij lacht, steekt zijn hand in zijn zak en geeft me een snoepje.

Ik wil deze man, die slaat, niet boos maken, dus neem ik het aan.

'Wanneer komt tante terug?' vraag ik.

'Bimla?' vraagt de man.

Ik weet haar echte naam niet. Ik ken haar alleen als tante. Ik haal mijn schouders op, ja-nee-ik-weet-niet.

'Maak je geen zorgen,' zegt hij. 'Je ziet je tante Bimla weer als we de grens over zijn.'

Ik ken dat woord 'grens' niet, maar van tante heb ik geleerd dat stadsmensen het niet prettig vinden als je veel vragen stelt.

'Van nu af aan,' zegt hij, 'ben ik je oom. Maar je moet me echtgenoot noemen. Begrijp je dat?'

Nee. Helemaal niet. Maar ik knik.

'De grens is een heel gevaarlijke plek,' zegt hij. 'Er zijn daar slechte mannen, mannen met geweren, mannen die je misschien kwaad doen of zullen proberen je bij tante en mij weg te halen.'

Het is allemaal zo verwarrend. Ik ben bang voor deze man. Maar ik ben hem ook dankbaar dat hij me zal beschermen tegen de slechte mannen met geweren bij de grens.

'Je hoeft niet bang te zijn,' zegt hij vriendelijk. 'We doen alsof. Je houdt toch wel van spelletjes?'

Ik knik.

Gita en ik deden doen-alsof-spelletjes. Daarbij had ik soms een echtgenoot. Maar dat was Krishna, de jonge geitenhoeder met de slaperige kattenogen, niet een oude man met een knolraapneus die met één en dezelfde hand snoepjes uitdeelt en slaat.

HET OVERSTEKEN VAN DE GRENS

De kar waar we nu in rijden, heet een 'riksja'. Hij wordt getrokken door een man met spillebenen in een versleten rok. Oom echtgenoot en ik zitten op een bank achterin, met overal om ons heen allerlei soorten karren die rook uitspuwen en stof doen opwaaien.

Onze riksja staat in een lange rij vrachtwagens en auto's die nergens heen gaat, terwijl mensen te voet voorbijlopen. Een van die mensen is tante. Ik leg mijn handpalmen tegen elkaar om haar te groeten, maar dan herinner ik me de stadsles die ik heb geleerd en laat mijn handen terug in mijn schoot vallen terwijl ik kijk hoe ze zich een weg baant door de menigte.

Oom echtgenoot buigt zich dicht naar me toe en stopt een snoepje in mijn hand. 'Je houdt toch wel van snoepjes?' vraagt hij.

Tijdens de hongermaanden heb ik pap gegeten die aangemaakt was met slijk, rotte aardappelen en gekookt onkruid. Ik knik.
Ik houd van snoepjes, zelfs meer dan ik kan zeggen.

Ik knik en denk er dan aan om 'dank u wel' te fluisteren.

Verderop zie ik een van de slechte grensmannen. Hij is helemaal in het bruin gekleed en heeft een pistool op zijn heup. Hij houdt elke kar tegen en stelt vragen.

Oom echtgenoot slaat een arm om mijn schouders.

'Niet bang zijn,' zegt hij. 'Ik zorg wel voor je.'

De grensman stapt op onze kar af. Hij en oom echtgenoot praten snel in stadstaal en bekijken een belangrijk uitziend papier dat oom echtgenoot uit zijn vest heeft gehaald.

De grensman wijst naar het papier en vraagt aan mij: 'Is dit jouw echtgenoot?'

Ik krul mijn tenen in mijn nieuwe schoenen en zeg ja.

De man legt een hand op zijn heup en ik denk dat hij me dood gaat schieten om deze leugen. Maar hij loopt gewoon naar de volgende kar.

Algauw komen we in beweging terwijl de voeten van de riksjaman geluidloos over de zandweg draven. Ik vraag oom echtgenoot wanneer we de grens over gaan. Hij zegt dat we er al overheen zijn.

EEN BELONING

Oom zegt dat ik het goed heb gedaan en geeft me een handvol snoepjes. Ik eet er een van op en prop de rest in mijn bundel.

Hij schreeuwt naar de man met de spillebenen, scheldt hem uit en zegt dat hij harder moet lopen.

De volgende keer dat oom in een goede bui is, zal ik hem vragen waar ik een postbezorger kan vinden om de rest van de snoepjes naar huis, naar ama te sturen.

DE TREIN

We rijden nu in een trein. Die maakt een donderend geluid, maar op de een of andere manier wiegt hij de mensen die erin zitten in slaap.

Oom neemt een platte buidel uit zijn vest, zuigt zijn wangen vol lucht en blaast erin. Het ding vult zich langzaam met zijn adem en neemt snel de vorm aan van een reusachtige linzenerwt. Dan stopt hij het achter zijn hoofd en doet zijn ogen dicht.

Als hij wakker wordt, zal ik hem vragen wanneer we tante weer zien.

Intussen schrijf ik in mijn schrift over de vreemde dingen die ik tot nu toe heb gezien: alle huizen hebben hier glazen zonnen zoals die in Gita's hut. En de mannen hebben doosjes die kwinkeleren als vogels en hen 'Hallo! Hallo!' laten roepen. En overal waar ik kijk, zijn afbeeldingen van mooie vrouwen met volle heupen en knappe mannen met glanzend haar. Ik weet het niet zeker, maar ik denk dat het filmsterren zijn.

Sinds we de grens over zijn, is alles anders, zelfs de taal op de borden.

'We zijn nu in India,' heeft oom echtgenoot me verteld. 'Praat hier tegen niemand. Als ze jou horen praten, weten ze dat je uit de bergen komt en zullen ze proberen je beet te nemen.'

Maar terwijl hij slaapt, schrijf ik een paar van die Indiase woorden in mijn schrift. Als mijn rijke meesteres tevreden is over mijn werk, leert ze mij misschien wat ze betekenen.

Als ik geen woorden meer weet om op te schrijven, kijk ik uit het raam naar die vreemde plaats die India heet. In de trein liggen mensen om me heen te snurken. Ik snap niet hoe ze hun ogen dicht kunnen doen als er zoveel te zien is.

HONDERD ROTI'S

De trein is gestopt bij een reusachtige ijzeren hut. Door het raam zie ik een man met een rooster en een stapel van wel honderd roti's.

Mensen hollen de trein uit en gaan in de rij staan voor zijn kar. Zijn berg brood begint te slinken.

Mijn maag rammelt als ik naar al dat eten kijk dat zo snel verdwijnt.

Oom echtgenoot zegt dat ik moet blijven zitten. Dan gaat hij in de rij mensen bij de kar staan. Algauw komt hij terug naar de trein met een dampende roti, geurend naar thuis en naar ama.

Ik word slap van verlangen.

'Voor jou,' zegt hij.

Ik word slap van dankbaarheid.

Oom echtgenoot is niet jong en knap als Krishna, en ik weet nooit van tevoren of hij misschien kwaad zal worden en me zal slaan. Maar ik ben dankbaar dat hij in deze vreemde nieuwe wereld van bewegende donder en onzichtbare grenzen mijn oom echtgenoot is.

STADSE MANIEREN

De trein gaat langzamer rijden en stopt. Oom echtgenoot zegt dat
ik op moet staan, dat we even halt houden. Ik begrijp het niet.
Maar evengoed ben ik blij dat ik de kans krijg om uit deze rijden-
de oven te stappen en mijn benen te strekken.

We gaan de trein uit en ik zie dat de mannen de ene kant op gaan
en de vrouwen de andere. Oom echtgenoot legt een hand tegen
mijn wang. Zijn hand is zacht. Zijn woorden zijn hard:

'Meteen terugkomen. Probeer niks uit te halen. Anders krijgt je
familie geen enkele roepie te zien.'

Ik slik, knik, en voeg me in de stroom vrouwen die over een stuk
land naast de trein uitzwermt.

Dan tillen alle vrouwen om me heen me hun rokken op, hurken
als kraaien en doen hun behoefte in het open veld. Ik schaam me
voor hen, omdat ze voor het oog van anderen doen wat eigenlijk
in afzondering moet gebeuren. En ik moet bijna overgeven als
de stank van zoveel uitwerpselen om me heen wervelt. Maar ik
moet zo nodig dat ik geen andere keus heb dan te doen zoals zij.

Ik boots hun kraaienhouding na, maar op de een of andere
manier maak ik een punt van mijn lange loshangende jurk nat.
Nu schaam ik me voor mezelf.

ONTEERD

Terwijl ik terug naar de trein loop, kom ik langs een groepje
mannen dat staat te schreeuwen en met de vuisten schudt. In het
midden van de groep zit een meisje van mijn leeftijd ineengedoken op de grond. Haar hoofd is pas geschoren – bleek en
broos als een vogelei – en strengen van haar lange donkere haar
liggen in kronkels aan haar voeten.

Een van de mannen uit de menigte gooit zijn sigarettenpeuk naar
haar voeten. Een ander spuugt in haar richting. Dan raapt een
ander – een dikke oude man met een steenpuist in zijn nek – een
handvol grind op en smijt dat naar haar. Ze krimpt in elkaar en
begint te huilen.

Ik zie oom echtgenoot aan de rand van de kring staan; hij trekt
aan zijn sigaret en overziet met kalme ogen het schouwspel.
Ik loop naar hem toe.

'Wat is er aan de hand?' vraag ik. 'Wat heeft ze gedaan dat ze
zo'n straf verdient?'

Met zijn laars trapt hij zijn sigaret uit en zucht.
'Dat is haar verdiende loon, omdat ze probeerde weg te lopen
van haar echtgenoot,' zegt hij.

Hij wijst naar de oude man met de steenpuist in zijn nek.

De wangen van de oude echtgenoot gloeien nu van trots
terwijl hij het meisje bij de arm grijpt en wegvoert. Ze

wringt zich in bochten en huilt en laat haar voeten door het zand slepen.

'Dom kind,' zegt oom echtgenoot.

Ik begrijp het niet.

'Eén blik op dat hoofd en iedereen weet dat ze een onteerde vrouw is,' zegt hij.
'Zelfs als ze weer wegloopt, zal niemand haar helpen.'

EEN DODENSTAD

De zon is nog niet op als oom echtgenoot zegt dat we op onze
bestemming zijn aangekomen. Terwijl de trein zachtjes tot stil-
stand komt, houd ik mijn bundel dicht tegen me aan en kijk
door het raam naar buiten of ik gouden daken zie.

Het eerste wat ik zie, is één enkele hut,
met een holle rug als van een oude waterbuffel.
Dan nog een,
en nog een,
tot er alleen nog maar hut na hut,
na hut
na hut
te zien is.

Er zijn daken van ijzerschroot,
op hun plaats gehouden met de zachte zwarte banden
van auto's.
Er zijn daken van dik papier,
met stapels stenen en laarzen en potten en pannen.
En daken van lakens
vastgebonden met stengels van plastic.

Maar geen daken van goud.
Geen dadel- of mango- of sinaasappelbomen.
En geen filmsterren.

Alleen rijen slapende lichamen. Zij aan zij liggen mannen,
vrouwen en kinderen in vodden te slapen op de grond.

Ik probeer ze te tellen,
kom tot tweehonderd,
en geef het op
als ik er achter hen nog tweehonderd zie.

Als we de trein uit gaan, zegt oom echtgenoot dat ik dicht bij hem moet blijven. Buiten is de lucht warm en drukkend, dik van de rook van wel honderd kookvuren. De lucht zit zo barstensvol stof dat het licht van de elektrische zonnen op palen verdwijnt in de mist. Overal om ons heen schuifelen mensen, het hoofd naar beneden, met lege ogen, terwijl het stof om hun voeten dwarrelt.

Ik ben bang voor deze stad, waar de liggende mensen op doden lijken. En de staande op wandelende doden.

LOPEN DOOR DE STAD

Het is moeilijk lopen op mijn nieuwe schoenen, en nog moeilijker om door straten te dringen die versperd worden door brood-magere riksjamannen die dikke passagiers trekken, naakte kinderen die in vuilnishopen klauwen en zwerfhonden die in goten vol menselijk afval snuffelen.

Op een straathoek bedelen twee jongens om geld. Een heeft een been dat eindigt in een stomp waar zijn knie had moeten zitten. Hij houdt zijn hand in de vorm van een kom en brengt die naar zijn mond alsof hij onzichtbaar voedsel eet.

De ander heeft een machine waar muziek uit komt. Hij heeft één handschoen aan en doet een dansje waarbij het lijkt of hij loopt, ook al gaat hij nergens naartoe.

De mensen laten hun munten in de kom van de dansende jongen vallen en ontwijken de hongerige ogen van de andere.

Een man in een slobberbroek draait aan de staart van zijn water-buffel om hem harder te laten lopen. Oom echtgenoot drukt zijn vuist in mijn rug om mij harder te laten lopen.

HUIZE GELUK

Ten slotte slaan we een steeg in en komen voor een ijzeren hek dat met een zware ketting op slot zit. Oom haalt een sleutel uit zijn vest, maakt het hek open en neemt me snel mee naar binnen.

'Is tante hier?' vraag ik.

'Wie?' Hij heeft zijn aandacht bij de ketting die hij achter ons dichtdoet.

'Tante Bimla,' zeg ik. 'Is zij hier?'

'Later,' zegt hij. 'Ze komt later.'

Achter het hek ligt een man voor een deur te slapen. Oom stoot hem aan met de neus van zijn laars. De man staat op, laat ons binnen en doet dan de deur achter ons op slot.

Het is hier zo donker als in een kelder en het ruikt naar alcohol en wierook.

Terwijl mijn ogen wennen, zie ik een stuk of tien slapende meisjes, sommige in de hoeken, andere op touwbedden.

'Wat is dit voor een huis?' vraag ik aan oom.

'Huize Geluk,' zegt hij. 'Tante Mumtaz zal het je allemaal uitleggen.'

In het flauwe ochtendlicht zie ik dat de meisjes allerlei gekleurde jurken aanhebben. Ze hebben zware zilveren banden om hun polsen en enkels, en oorringen van goud en edelsteen. Hun ogen zijn geverfd met zwart potlood en hun lippen zijn opgeschilderd als rode chilipepers.

Thuis zouden deze meisjes voor dag en dauw op zijn om het huishouden te doen, niet slapen tot het middageten in hun festivalkleren.

Ik vraag me af of dit Huize Geluk misschien de plek is waar de filmsterren wonen.

TIENDUIZEND ROEPIE

Een gestalte komt in de hoek overeind en loopt op ons af. Ze heeft het ranke lichaam van een meisje en de holle wangen van een oude vrouw. Onder de plooien van haar gele jurk is ze zo broos als een jong vogeltje.

Oom praat kortaf met haar in stadstaal, en het oude vogelmeisje verdwijnt achter een gordijn.

Enkele ogenblikken later wordt het doek teruggeschoven. In een verduisterde kamer hangt een dikke vrouw in een paarse sari lui achterover op een bed. Rond haar middel zitten rollen vlees als rotideeg en haar gezicht is zo bol als een overrijpe mango.

Ze knipt met haar vingers en het vogelmeisje krimpt in elkaar. Zelfs oom echtgenoot lijkt terug te deinzen. Hij duwt me in de richting van de bolle mangovrouw, zo dicht naar haar toe dat ik het dons op haar bovenlip kan zien zitten.

Ik sta rechtop, zodat ze kan zien wat een goede werkster ik ben.

Ze neemt me van top tot teen op en spuugt dan op de grond.

'Hoeveel?' vraagt ze aan oom echtgenoot.

'Vijftienduizend,' zegt hij.

De vrouw lacht. 'Voor deze? Ze is zo dun als thee van gisteren.'

Ze onderhandelen over en weer, soms in mijn taal, dan weer in een andere. Oom gaat omhoog, de vrouw gaat omlaag.

Met een schouderophalen geeft oom het ten slotte op. De vrouw haalt een rekenschrift uit de plooien van haar jurk. Ze schrijft het getal tienduizend op.

Ze knipt met haar vingers en het vogelmeisje staat op en pakt me bij mijn arm.
Ik kijk naar oom echtgenoot.

'Ga dan,' zegt hij ongeduldig. 'Ze zal je een bed wijzen.'

Ik ben bang om oom echtgenoot te verlaten. Hij beschermde me tegen de slechte grensmannen en kocht een roti voor me, en hij is de enige die ik ken in deze vreemde dode stad. Maar ik gehoorzaam, klem mijn bundel tegen mijn borst en volg het meisje door een gang.

Ze neemt me mee naar boven naar een kleine kamer, doet de deur van het slot en gebaart dat ik naar binnen moet gaan.

'Mijn tante Bimla komt me halen,' zeg ik tegen haar.
'Wil jij haar zeggen dat ik hier ben als ze aan de deur komt?'

Ik weet niet of het meisje me verstaat. Ze geeft geen antwoord.

Ze doet gewoon de deur dicht.

Ik weet niet waarom ik in dit vreemde huis ben of waar tante Bimla is. Het lijkt alsof deze tante Mumtaz mijn nieuwe meesteres is. Een strenge, dat is zeker, maar ik zal haar tonen wat ik waard ben. En dan krijgt mijn moeder een nieuwe jurk, schoenen voor het koude seizoen, plus een omslagdoek van het fijnste weefsel. Mijn broertje krijgt twee keer per dag kwark en fruit en een jasje van jakbont. Misschien koop ik zelfs een nieuwe bril en een nieuw vest voor mijn stiefvader. En ons dak, ons nieuwe golfplaten dak, zal het felst blinkende dak zijn van de hele berg-helling.

Dat is wat ik denk als ik het meisje de deur achter zich op slot hoor draaien.

IN DEZE KAMER

Er hangen platen van goden en filmsterren aan de muren.
Een elektrische zon hangt midden aan het plafond.
Een touwbed.
Een varenbladmachine die de lucht in beweging brengt.
En ijzeren tralies voor de ramen.

Een hoek van de kamer is afgescheiden met een lap stof
van een oude sari.
Op de vloer staat een plastic emmer naast een gat in
de vloer.
Door de stank weet ik dat dit de latrine is.

Ik ga op het bed zitten en probeer me Tali's roze neusje
voor de geest te halen.
De nevel die rond de zwaluwstaartpiek danst.
De geelbruine graanvelden.
Ama's ravenzwarte haar.
Krishna's slaperige kattenogen.

Maar mijn gedachten tollen rond als de varenbladmachine.

Ik denk aan het oude vogelmeisje en vraag me af waarom ze zo
mager is als ze elke dag taartjes eet, en dadels en sinaasappels en
mango's.

Ik denk aan de vrouw met de rollen van rotideeg om haar middel
en vraag me af waarom ze in dit donkere keldergewelf woont als
ze zo rijk is.

En of ze me stadswoorden zal leren als ik klaar ben met mijn werk.

Maar op het laatst worden mijn ogen zwaar en ga ik op
het bed liggen.
En na vier dagen reizen, val ik in slaap.

HEIMWEE

Even word ik wakker en weet ik niet goed waar ik ben.
Ik gaap en wacht op de geur van rook van het haardvuur en
van gebakken brood.
Wat er in mijn neus komt, is de stank van het latrinegat naast
mijn bed.
Ik bid om een frisse bergbries met de belofte van sneeuw,
en in plaats daarvan zie ik de varenbladmachine loom steeds
dezelfde benauwde stadslucht ronddraaien.
Ik luister of ik het klokken van de kippen hoor.
Wat ik hoor zijn de ruziënde stemmen van een man en een
vrouw in de kamer naast de mijne.

Tot nu toe is deze stad niet wat ik had gehoopt.

Misschien als ik mijn ogen dichtdoe en weer in slaap val,
kan ik in elk geval dromen van thuis.

TV

Ik word wakker als twee meisjes de deur komen opendoen. Eentje is knap met kogelronde ogen en een donkerbruine huid als de schaal van een noot. De ander heeft een scheef gezicht. Haar rechterwang is ingevallen en haar ene mondhoek hangt in een voortdurend half ontevreden trek naar beneden.

Ze nemen me mee naar een kamer waar de andere meisjes bij elkaar zitten.
Het oude vogelmeisje is er, evenals andere meisjes.
Jonge meisjes met jurken waarin ze ouder lijken, en oudere meisjes met jurken waarin ze jonger lijken.
Een blote baby slaapt op een deken op de vloer, en een klein meisje met vlechten knielt bij haar moeders voeten terwijl die haar hoofdhuid nakijkt op luizen.

Er wordt niet gekletst of gelachen zoals wanneer de dorps-vrouwen bij elkaar zijn.
In plaats daarvan kijken ze allemaal geboeid naar een zwarte doos met een groot glazen raam aan de voorkant.
In de doos zingt een piepkleine vrouw. Ze heeft een gouden broek aan en haar haar wappert in de wind.

Het half ontevreden meisje drukt op een knop en de vrouw is verdwenen.
Een man zit aan een tafel een krant te lezen.
Telkens weer drukt ze op de knop,
en telkens weer verandert het plaatje in de doos.

Er is een vrouw die hoofdschuddend een pot schuurt.
Dan een man die een bal slaat met een roeispaan.
Dan een schoolmeisje dat Coca-Cola drinkt.
Dan weer terug naar de vrouw in de gouden broek.

Een man met glad achterover gekamd haar fluistert in het oor
van de vrouw.
Ze legt een vinger tegen zijn lippen, danst naar de hoek van
de doos en verdwijnt.

Ik sla mijn hand voor mijn mond en wacht om te zien wat er
daarna gaat gebeuren.
Het meisje met de nootbruine huid leunt naar me toe.
'Dat is een televisie,' zegt ze in mijn taal. 'Tv.'

Ik heb over televisie gehoord. Mijn stiefvader zegt dat zijn broer
er een als bruidsschat kreeg toen zijn zoon met een rijk meisje
trouwde.

Er zijn hier geen gouden daken, maar misschien is dit toch een
voorname stad, als elk huis een tv heeft.

EEN STADSMEISJE

De dikke vrouw met de paarse sari komt de kamer binnen. Het meisje met het scheve gezicht springt overeind en zet de tv uit. Het meisje met de donkere huid blijft zitten wachten, terwijl de anderen wegslenteren.

De dikke vrouw stelt boze vragen in de stadstaal.

'Ja, Mumtaz,' zegt het meisje met de donkere huid.

'Nee, Mumtaz,' zegt het ontevreden meisje.

Deze Mumtaz knijpt in het vel boven mijn elleboog en draait het om tot mijn ogen branden.

Ik verroer me niet. Ik zeg geen woord. Ook niet als ze loslaat en me een zet geeft in de richting van de andere meisjes.

Daarna is Mumtaz verdwenen. Het meisje met de donkere huid wast mijn gezicht, het half ontevreden meisje borstelt mijn haar.

Ze zeggen niets, en ik voel me verlegen bij deze vrijpostige stadsmeisjes, die voor mij doen wat tot nu toe alleen mijn ama heeft gedaan.

'Wat doen jullie?' vraag ik.

Het meisje met de donkere huid wil antwoord geven, maar het ontevreden meisje zegt dat ze stil moet zijn en haalt de borstel ruw door mijn haar. Ze doet een blikken trommel open en haalt er een flesje rode vloeistof uit. Dan pakt ze mijn hand en verft er mijn nagels mee, terwijl het andere meisje met een zwart potlood op mijn oogleden tekent.

'Wat gaat er gebeuren?' vraag ik.

Ze geven geen antwoord.

Het donkere meisje, dat me uitlegde wat een tv was, zegt: 'Ssst.' Wanneer het ontevreden meisje zich omdraait, fluistert ze in mijn taal: 'Daar kom je snel genoeg achter.'

Ik zie mijn gezicht weerspiegeld in een zilveren spiegel aan de muur. Een andere Lakshmi kijkt me aan. Ze heeft zwart omrande tijgerogen, een mond zo rood als een granaatappel en golvend haar als de piepkleine vrouw met de gouden broek in de tv.

Ze is mooi als tante Bimla, als een filmster, als die andere stadsmeisjes.
Ik glimlach naar deze nieuwe Lakshmi. Onzeker lacht ze terug.

OUDE MAN

Mumtaz inspecteert me aandachtig.

'Ben je klaar om aan het werk te gaan?' vraagt ze in mijn taal.

Ik knik en zeg ja, en knik dan weer, ook al begrijp ik niet hoe deze stadsmensen hun werk doen in zulke mooie kleren en ongemakkelijke schoenen.

Ik loop achter Mumtaz aan een gang door met kleine kamertjes. We komen langs meisjes die met gekruiste benen op de grond zitten. Meisjes die bij zichzelf tijgerogen tekenen. Meisjes die zich besprenkelen met bloemenwater. Sommigen staren me aan. Anderen letten niet op mij.

We gaan een paar trappen op, nog een gang door, dan een kamer in waar een oude man op bed ligt. Zijn vel is geel en er groeien plukjes haar uit zijn oren. Mumtaz praat vriendelijk met hem en ik vraag me af of hij ziek is.

Aan de overkant van de gang, in een andere kamer waar een rode doek voor de ingang hangt, hoor ik een grommend geluid. Het is een vreemd, dierlijk geluid dat me rillingen bezorgt.

Mumtaz wijst naar mij en zegt iets tegen de oude man. Hij likt aan zijn hand en strijkt zijn haar glad. Ze schijnen geen erg te hebben in het gegrom.

Dan houdt het op. De rode doek wordt weggetrokken. En er staat een man in de gang die zijn broek dichtritst.

Ik kijk naar mijn rood geverfde nagels en mijn nieuwe schoenen. Hier is iets niet in de haak. Ik weet niet wat er aan de hand is, maar het is niet in orde, helemaal niet in orde.

Mumtaz klopt op de rand van het bed en zegt dat ik dichterbij moet komen. De oude man maakt een klokkend geluid.

'Niet bang zijn,' zegt ze. 'Kom hier.'

Ik verroer me niet.

Haar stem wordt hard. 'Hier komen, onnozele meid!' zegt ze.

Ik verroer me nog steeds niet.

Dan vliegt Mumtaz me aan. Ze grijpt me bij mijn haar en sleept me de kamer door. Ze smijt me op het bed naast de oude man. En dan ligt hij boven op me en drukt me neer met de kracht van tien mannen. Hij kust me met slappe natte lippen die naar uien smaken. Zijn tanden graven zich in mijn onderlip.

Met zijn gewicht boven op me kan ik niet zien, bewegen of zelfs maar ademhalen. Hij friemelt aan zijn broek, duwt mijn benen uit elkaar en ik voel hoe hij zich tussen mijn dijen wringt. Ik hap naar lucht en schop en kronkel. Hij stoot zijn tong in mijn mond.

En ik bijt uit alle macht.

Hij schreeuwt het uit: 'Aah!', en ik zet het op een rennen, de gang door, voorbij de andere meisjes, verlies onderweg mijn mooie stadsschoenen en blijf rennen tot ik terug ben in de kamer waar ik begon en waar ik mijn oude kleren uit mijn bundel trek.

VERKOCHT

Ik ben bezig de make-up van mijn gezicht te vegen als het meisje met de donkere huid binnenkomt.

'Waar denk jij dat je mee bezig bent?' vraagt ze.

'Ik ga naar huis.'

Haar kogelronde ogen worden donker.

'Er is een vergissing,' zeg ik tegen haar. 'Ik ben hier om als dienstmeisje te werken voor een rijke dame.'

'Is je dat verteld?'

Dan komt Mumtaz puffend bij de deur aan, haar mangogezicht rood van kwaadheid.

'Waar denk jij dat je mee bezig bent?' vraagt ze.

'Ik ga weg,' zeg ik. 'Ik ga naar huis.'

Mumtaz lacht. 'Naar huis?' zegt ze. 'En hoe dacht je daar te komen?'

Ik weet het niet.

'Weet je de weg naar huis?' vraagt ze.
'Heb je geld voor de trein?
Spreek je de taal hier?
Heb je wel enig idee waar je bent?'

Mijn hart bonkt als het roffelen van een stortbui en mijn

schouders beven alsof ik een flinke kou heb gevat.

'Onnozele bergmeid,' zegt ze.
'Je weet helemaal niks.'

Ik sla mijn armen om mezelf heen en knijp uit alle macht. Maar het beven houdt niet op.

'Nou dan,' zegt Mumtaz, terwijl ze haar rekenschrift uit de band van haar onderrok tevoorschijn haalt.
'Dan zal ik het je eens uitleggen.'

'Je bent van mij,' zegt ze. 'En ik heb aardig wat voor je betaald.'
Ze slaat haar boek op een bladzijde open en wijst naar de aantekening van tienduizend roepie.

'Jij neemt mannen mee naar je kamer,' zegt ze, 'en doet wat ze van je vragen. Je gaat hier werken net als de andere meisjes, tot je schuld is afbetaald.'

Mijn hoofd tolt, maar ik zie maar één ding: het getal in haar boek. Het trekt krom en vervaagt, vervolgens breekt het in stukken die voor mijn ogen zwemmen. Ik vecht tegen mijn tranen en vind mijn stem weer terug.

'Maar tante Bimla zei...'

'Je "tante",' schimpt ze, 'werkt voor mij.'

Ik knipper mijn tranen weg. Ik bal mijn handen tot vuisten.
Ik weiger dit smerige werk te doen. Ik zal wachten tot het donker is en weglopen van Mumtaz en haar Huize Geluk.

'Shahanna!' Mumtaz knipt met haar vingers en het meisje met de donkere huid overhandigt haar een schaar.

Shahanna buigt zich naar me toe en fluistert: 'Het gaat gemakkelijker als je je stilhoudt.'

Er klinkt een knippend geluid en een groot stuk van mijn haar valt op de grond. Ik schreeuw het uit en probeer me los te rukken, maar Shahanna houdt me vast.

Mumtaz trekt de schaar terug en laat de punt tegen mijn hals rusten. 'Stilzitten,' zegt ze met opeengeklemde kaken, 'of ik snij je keel door.'

Ik kijk naar Shahanna. Haar ogen zijn groot van angst.

Ik hou me heel stil en kijk naar het meisje in de zilveren spiegel. Binnen korte tijd heeft ze het geschoren hoofd van een onteerde vrouw en een gezicht van steen.

'Probeer maar eens weg te komen met zo'n hoofd,' zegt Mumtaz, 'dan brengen ze je gelijk hier terug.'

En dan zijn ze weg en laten me alleen achter in de afgesloten kamer.

Ik bons op de deur.
Ik brul als een dier.
Ik bid.
Ik loop de kamer op en neer.
Ik schop tegen de deur.
Maar ik huil niet.

DRIE DAGEN EN DRIE NACHTEN

Elke dag komen duizend mensen onder mijn raam voorbij.
Kinderen op weg naar school. Moeders die zich naar huis reppen
van de markt. Riksjamannen, groenteventers, straatvegers en
bedelaars.

Niet een kijkt omhoog.

Elke morgen en avond komt Mumtaz, ze slaat me met een leren
riem en draait daarna de deur weer achter zich op slot.

En elke nacht droom ik dat ama en ik buiten voor onze hut zitten
en langs de berg omlaag kijken naar de lichten van het festival,
terwijl ze mijn haar in lange donkere vlechten bindt.

WAT ER OVER IS

Als Mumtaz vanavond mijn kamer binnenkomt, ziet ze dat haar
riem rauwe wonden heeft achtergelaten op mijn nek en rug,
armen en benen.

Dus slaat ze me op mijn voetzolen.

HONGER

Als Mumtaz vanavond komt en de deur van het slot doet, ziet ze dat er niets meer van me over is dat geen sporen van haar riem draagt.

'Ben je nu bereid om met mannen te slapen?'

Ik schud mijn hoofd.

En dus zegt ze dat ze me zal uithongeren tot ik toegeef.

Wat ze niet beseft, is dat ik al lang weet wat honger is.

Ik weet hoe je maag aan zichzelf knaagt op zoek naar iets om zich te vullen.
Ik weet hoe je darmen blijven werken, omdat ze niet willen geloven dat ze leeg zijn.

Ik weet ook hoe je je speeksel moet inslikken en je verbeelden dat het soep is.
Hoe je je neus moet afsluiten voor de etensluchtjes van een ander gezin.
En hoe je je gordel zo strak moet binden dat je, al is het maar voor een paar uur, je buik kan laten denken dat hij vol is.

Mumtaz, met haar slappe deegmiddel en bolle mangogezicht, weet niet wie ze voor zich heeft.

WAT IK NIET DOE

Ik besteed geen aandacht aan het geschreeuw van de pindaverkoper onder mijn raam.

Ik laat mezelf niet de geur van gebakken uien ruiken uit de
keuken beneden,

en sla geen acht op het gebabbel van de meisjes wanneer ze voor
het middageten langs mijn deur komen.

Ik luister niet naar de voetstappen van de straatjongen die
's middags thee brengt in een winkelwagentje.

Ik sta mezelf niet toe om de geur op te snuiven van de kom
kerrierijst die Mumtaz onder mijn neus houdt, of om op het
gerommel van mijn maag te letten.

Zelfs in mijn slaap gun ik het mezelf niet om ook maar van één
enkele roti te dromen.

NA VIJF DAGEN

Na vijf dagen zonder eten en drinken droom ik zelfs niet meer.

EEN KOP THEE

Eén geluid ben ik meer gaan vrezen dan alle andere: het knarsen van de sleutel in het slot, wat betekent dat Mumtaz er is met haar riem en haar pesterijen.

En dus sta ik in de hoek van de afgesloten kamer met mijn gezicht naar de muur als de deur opengaat. Het is Shahanna, het meisje met de nootbruine huid, met een kop thee in haar hand.

Ze brengt de kop naar mijn mond en praat zachtjes tegen me. 'Drink maar,' zegt ze. 'Je lippen zijn gebarsten.'

Ik neem een slokje en wil eerst niet laten merken hoe erg ik er behoefte aan heb, maar klok het dan gretig naar binnen.

'Kalm aan,' zegt ze, terwijl ze de kop zachtjes uit mijn handen trekt.
'Als je te snel drinkt, ga je overgeven.'

Ik doe wat ze zegt, maar algauw, veel te snel, is de kop leeg.

Shahanna steekt haar hand uit en strijkt zachtjes over mijn hoofd. Je haar begint alweer te groeien,' zegt ze.

Ik probeer iets te zeggen, maar ik heb geen stem na al die dagen zonder iemand om mee te praten.
Ik wil dit aardige meisje met de donkere huid vertellen over alle dingen die ik niet doe.
Dat ik niet aan mijn gebarsten lippen of mijn afgeschoren haar denk.

Dat ik niet in de spiegel kijk.

Maar de woorden komen niet.

'Mumtaz zal je laten leven,' zegt ze, 'als je doet wat ze zegt.'

Ik keer haar mijn rug toe en kijk uit het raam. Twee schoolmeisjes in gesteven blauw uniform huppelen hand in hand beneden op straat voorbij.

'Ik ben daarbuiten geweest,' zegt Shahanna, 'en ik kan je vertellen dat het hier niet zo erg is.'

Ik ben op mijn hoede, want ik weet nu dat je deze stadsmensen niet kunt vertrouwen.

'Het is echt waar,' zegt ze. 'Daarbuiten ben je nog minder dan een hond.'

Ze wijst naar een zwerfhond die stilstaat om in een goot vol menselijk afval te snuffelen.

'Hier hebben we tenminste een bed en eten en kleren.' Ze zwijgt.

Ik schud mijn hoofd.

'Nee,' hoor ik mezelf met een gebarsten stem zeggen. 'Ik doe dit schandelijke werk niet.'

Shahanna zucht.

'Dan verkoopt ze je alleen maar aan een ander huis net als dit.'

Ze loopt naar de deur.

Vanbinnen smeek ik haar niet weg te gaan, me niet alleen te laten in deze afgesloten kamer waar ik de wereld aan me voorbij zie trekken. Maar vanbuiten heb ik een masker op. Ik heb al iets geleerd van deze stadsmensen. Van de mensen die hun ogen sloten voor de bedelaarsjongen zonder benen. Van de mensen die met lege ogen door deze dodenstad schuifelen.

Je bent hier alleen veilig als je niet laat merken hoe bang je bent.

NA SHAHANNA'S BEZOEK

Niemand komt naar mijn kamer. En ik vraag me af of er één dag
en één nacht voorbij is of twee. Of wel tien.

EEN MEDEDELING

Op een dag komt Mumtaz zonder haar riem aan mijn deur.

'Ik heb besloten je te laten leven,' zegt ze.

Daarna is ze verdwenen en laat me alleen om te overdenken wat er nu gaat gebeuren.

EEN KOP LASSI

Even later staat het oude vogelmeisje in de deuropening en ze reikt me een kop lassi aan, het zoete yoghurtdrankje dat ik van ama kreeg als ik ziek was.

Ik neem de kop met bevende handen aan. Het drankje is zoet en fris en smaakt naar mango. Het meisje pakt de kop weer aan, maar blijft naar me staan kijken.

Na een paar minuten krijg ik een vreemd gevoel. En kort daarna vervaagt haar beeld en wordt dan weer scherp als het licht van een toverlantaarn.

Ik knijp mijn ogen tot spleetjes en zie haar dubbel. Ik knipper en ze is weg.

Mijn armen en benen worden dingen in de verte, hun bewegingen langzaam en vloeibaar.

Al snel vloeien de geluiden van de bazaar beneden in elkaar over, een mengelmoes van blatende toeters en grommende motoren.

Ik probeer na te denken. Maar mijn gedachten blijven in elkaar zakken, kantelen of in kringetjes ronddraaien.

Vaag begin ik te begrijpen dat er een vreemd goedje in de lassi moet hebben gezeten als Mumtaz de kamer in stapt.

Daarna begrijp ik niets meer.

BOFFEN MET HABIB

Een man met vissenlippen komt mijn kamer binnen en zegt:
'Jij boft met Habib.' Hij knijpt in mijn borst als iemand die een
meloen wil kopen. Ik probeer hem weg te duwen, maar mijn arm,
loodzwaar van de lassi, geeft niet mee.

'Je boft,' zegt hij, 'dat Habib je eerste is.'
Ik doe mijn ogen dicht. De kamer kantelt nu weer deze, dan weer
de andere kant op.

'Je kunt de anderen vertellen dat het Habib was,' zegt hij.

Ik doe mijn ogen open, zie hem in mijn andere borst knijpen,
en vraag me af: wie is die Habib over wie hij het heeft?

'Als dit echt je eerste keer is,' zegt hij. 'Met Mumtaz weet je
het nooit.'
Hij gespt zijn riem los. 'Ze heeft Habib al een keer eerder
tweedehandsspullen verkocht.'

De man met de vissenlippen doet mijn jurk uit.
Ik verwacht dat ik zal protesteren. Maar er gebeurt niets.

'Habib,' zegt hij, 'Habib is goed met vrouwen.'

Dan ligt hij boven op me en voel ik iets warms en dwingends
tussen mijn benen.
Hij gromt en worstelt in zijn poging zich bij me naar binnen te
dringen.

Met een plotselinge stoot word ik in tweeën gescheurd.
'O, ja,' zegt hij hijgend. 'Habib is goed in bed.'

Van veraf hoor ik
een regelmatig gebons,
bons,
bons,
en stel vast dat dit het geluid is van het hoofdeinde van een bed
dat tegen een muur stoot.
Na een tijd,
ik weet niet hoe lang,
onderbreekt een ander geluid het ritmische bonzen van het
hoofdeinde.
Dat geluid ken ik ergens van.
Ik span me in om erachter te komen wat het is.
Op het laatst herken ik het.
Het is het onderdrukte geluid van gesnik.

Habib rolt van me af.

Dan begrijp ik het: ik was degene die huilde.

EEN VAN HEN

Ik word stijf wakker met overal pijn. Ik heb geen idee van tijd, maar door het gezoem van de elektrische zon aan het plafond vermoed ik dat het de avond van de volgende dag is.

Mijn hoofd bonst. Mijn mond is kurkdroog. Ik ga op bibberende benen staan en zak vervolgens op de kale vloer in elkaar, met het gevoel alsof er een gloeiende kool tussen mijn benen zit.

Ik grijp het beddenlaken, kom moeizaam overeind en loop naar het tafeltje waar iemand een glas water heeft neergezet.

Dan zie ik een meisje in de spiegel.
Ze heeft zwartgemaakte tijgerogen en vlekkerige lippen van chilipoeder.

Vol droefheid en minachting kijkt ze me aan met een blik die zegt:
Je bent nu een van hen.

SCHEMERING

In de daaropvolgende dagen komen er allerlei mensen naar mijn kamer.

Sommigen zijn echt. Anderen niet.

Elke dag als het donker wordt, verschijnt Mumtaz en wringt met geweld een kop lassi tussen mijn opeengeklemde kaken. Elke morgen komt Shahanna met een kop water en een gezicht vol medelijden.

Zij zijn echt. Daar twijfel ik niet aan.

In de eindeloze schemer na de lassi, en voor het ochtend wordt, komen de anderen.

Mijn stiefvader verschijnt, met zijn breedgeschouderde jas en stadse hoed, trekkend aan zijn sigaret. Dan staat Bajai Sita aan het voeteind van mijn bed, druk roddelend met de vrouw van het dorpshoofd. En soms komt tante Bimla met ogen die glinsteren als nieuwe munten.

Ze lijken echt, maar ik weet dat ze het niet zijn.

Tussendoor komen de mannen.
Ze kneuzen mijn botten met hun gewicht.
Ze splijten me open.
Daarna verdwijnen ze.

Ik weet niet welke van de dingen die ze met me doen echt zijn, en welke nachtmerries.

Ik zal maar denken dat het één grote nachtmerrie is.

Want als het echt is wat er gebeurt,

is het onverdraaglijk.

PIJN

Ik heb pijn.
Ik ben opengescheurd en bloed waar de mannen zijn geweest.

Ik bid tot de goden om de pijn weg te laten gaan.
Om het branden en de pijn en het bloeden te laten stoppen.

Uit de kamer hiernaast klinken muziek en gelach.
Op straat beneden klinken getoeter en geschreeuw.

Niemand kan me horen.
Zelfs de goden niet.

TUSSEN SCHEMERINGEN DOOR

Soms, tussen de schemeringen door,
wikkel ik mijn bundel van thuis los
en begraaf mijn gezicht in de stof van mijn oude rok.

Ik haal diep adem
en drink de geur van zonlicht in de bergen in,
een warmte die ruikt naar vers omgewoelde aarde en schone was
die ligt te stoven in de zon.

Ik snuif de frisse Himalayabries op,
en de scherpe houtlucht van een kookvuur,
een lucht die knispert met de belofte van warme thee
en verse roti.

Dan haal ik het.
Tot de volgende schemering.

WAT JE HOORT

Voor het begint,
hoor je een rits zijn tanden ontbloten,
misschien het geluid van een schoen die haastig opzij wordt
geschopt,
het piepen van de matras.

Als het eenmaal begint,
kan het zijn dat je het geluid van blèrende toeters hoort in de
straat beneden,
de pindaverkoper die zijn waar uitvent,
of de *tok* van een rubberen bal wanneer de kinderen roepen en
spelen op een schoolplein in de buurt.

Maar als je geluk hebt,
of heel erg je best doet,
hoor je niets.

Niets, behalve misschien het geklik van de windmaker aan
het plafond,
het geleidelijk wegtikken van de seconden
tot het voorbij is.

Tot het weer begint.

HET GEVAAR VAN BESCHERMING

Op een dag komt Shahanna naar mijn kamer met een kop thee en een overgeschoten korst brood. Ze stopt een plastic pakje in mijn hand.

'Laat Mumtaz het niet zien,' fluistert ze.

'Wat is het?' vraag ik.

Ze kijkt of er niemand luistert.
'Een condoom.'

Ik begrijp niet wat dat is en waarom het zo geheim moet blijven.

Shahanna legt het uit.
'Vraag de mannen om het te gebruiken, zodat je geen ziekte oploopt,' zegt ze.

'De meesten zullen nee zeggen; ze zullen dreigen ergens anders naartoe te gaan als je aandringt.'

Ik knik.
Shahanna draait zich om om de deur dicht te doen.

'Niet aandringen,' zegt Shahanna.
'Anders slaat Mumtaz je halfdood.'

EEN EMMER WATER

Er staat een emmer water naast mijn bed.

Maar hoe vaak ik me ook was,
en schrob
en was
en schrob,
ik krijg de mannen maar niet van mijn lijf gespoeld.

TELLEN

Het is nu een ander seizoen.

Dit weet ik alleen doordat de mensen buiten mijn raam zijn
begonnen hun truien uit te doen. En nog steeds zit ik opgesloten
in deze kamer.

De lassi heeft mijn hoofd te wazig gemaakt om bij te kunnen
houden hoeveel mannen hier zijn geweest.

Ik weet niet hoeveel ze betalen.

Het enige wat ik weet is dat elke keer dat er een vertrekt,
mijn schuld aan Mumtaz een beetje kleiner wordt.

EEN HANDVOL MIST

Ik herinner me het fluweel van Tali's roze neusje.
De spookachtige geur van nachtbloemen.
De scherpe randen van de kerf in de schoolbank.
De zonsondergang, rood van het Nepalese zand.
De tinkelende muziek van ama's oorringen.
De zilverwitte weerschijn van de berg bij maanlicht.

Eerst kwamen die herinneringen ongevraagd.
Maar al snel moest ik mijn best doen om ze op te diepen.
En uiteindelijk, door al dat opsporen en terughalen,
raakten ze versleten, zo dun als de deken op mijn bed,
tot op een dag mijn hart bijna stilstond toen ik ze niet
kon oproepen.

Nu oefen ik ze elke morgen en avond, op de manier die mijn
onderwijzeres me leerde om mijn sommen erin te stampen.

Maar er is één beeld dat ik niet kan vergeten, hoe ik het
ook probeer.

Eén hardnekkige herinnering die alle andere uit mijn hoofd duwt:
Ama's gezicht toen ze zich de luxe van een golfplaten dak
voorstelde.

Ik ben erachter gekomen dat als je probeert je iets te herinneren,
het lijkt alsof je een handvol mist probeert te grijpen.
En als je probeert iets te vergeten,
het lijkt alsof je de regentijd probeert tegen te houden.

VERANDERINGEN

Op een middag komt Mumtaz aan mijn deur en zegt dat ik mijn spullen bij elkaar moet pakken.

'Nu je geen maagd meer bent,' zegt ze, 'kan ik geen goede prijs meer voor je maken.'

Ik kan mijn oren niet geloven.

'Dus mag ik nu weg?' vraag ik.

Mumtaz spuugt op de grond.

'Je bent niet zomaar gekomen,' zegt ze. 'Je kunt niet zomaar weg.'

Ik begrijp het niet.

'Je mag naar huis...'

Ze zwijgt, plukt een stukje sirihblad van haar tong en bekijkt het.

Ik probeer het bonzen van mijn hart tegen te gaan bij de woorden 'naar huis'.

Mumtaz schiet het stukje sirihblad weg en zegt:

'...zo gauw je de twintigduizend roepie hebt weggewerkt die ik voor je heb betaald.'

'Maar...' Ik heb haar rekenschrift gezien met het bedrag van tienduizend roepie.

Ik weet dat die twintigduizend gelogen is.

Op de een of andere manier is, bij alles wat me is aangedaan, dit, deze belediging, het ergst van al.

Sinds de eerste nacht met de man met de vissenlippen heb ik niet gehuild, geen traan gelaten.
Maar nu wellen de tranen op in mijn ogen.

Ik knipper ze weg en hef mijn kin op.

'Maar wat?' zegt ze. Ze haalt de leren riem tevoorschijn van onder haar rok en slaat ermee in haar open hand.

Ik buig mijn hoofd.

'Van nu af aan,' zegt Mumtaz, 'ga je elke avond beneden bij de andere meisjes zitten. Je deelt een kamer met anderen en je bent vrij om in huis rond te lopen.'

Ik staar strak voor me uit.

Mumtaz komt dichterbij en neemt mijn kin in haar hand.

'Maar als je probeert weg te lopen,' zegt ze, 'maal ik hete chilipepers en stop die tussen je benen.'

Ik huiver, sla mijn armen om me heen en knik.

'En nu opschieten,' zegt ze terwijl ze de kamer uit loopt.
'Ik heb deze kamer nodig.'

HET NIEUWE MEISJE

Ik pak mijn kom en mijn bundel bij elkaar als het oude vogelmeisje binnenkomt. Ze heeft een ander, veel jonger meisje bij zich. Ze draagt een
felgele jurk en klemt een bundel grove alledaagse kleren in
haar armen.

Ik loop naar de deur met de onzekere gang van een oude vrouw.
Het lijkt een heel leven geleden dat ik buiten deze kamer was.

Ik waag een stap de gang in, en nog een, en kijk hoe het nieuwe
meisje mijn oude kamer met aarzelende stappen binnengaat, alsof
ze haar tenen in haar nieuwe schoenen samenknijpt als een arme
doodsbange vleermuis die zich aan een tak vastklemt.

WAT NORMAAL IS

Het oude vogelmeisje zegt dat ik naar de keuken moet gaan om samen met de andere meisjes te eten. Wat is het raar – dat na al die dagen dromen over vrij zijn mijn voeten me niet willen gehoorzamen.

'Schiet eens op,' zegt ze.
Dan grijpt ze me bij mijn oor en sleurt me verder de gang op.

Het ongewone van lopen – van het meer dan een paar passen naar het raam doen en terug – maakt dat een tiental stappen aanvoelt als een miljoen. En de gang, een stukje kale vloer met gebarsten muren, komt me wonderschoon voor, nieuw, ongewoon en ruim, vreemd. En het licht doet pijn aan mijn ogen.

Als ik eindelijk aan het eind van de gang kom, zie ik een keuken. Meisjes in opzichtige, bonte jurken roepen naar elkaar – sommige in stadstaal, andere in mijn moedertaal –, met zijn allen schreeuwend om boven het geloei van een muziekmachine uit te komen.

Ze ontbloten hun tanden als ze lachen en schuiven handenvol rijst in geverfde monden.
Een dikke, tandeloze vrouw roert in een pan vette prut terwijl een bloot kind bij haar voeten rondkruipt, en de lucht is zwaar van kruiden, bakolie, parfum en sigarettenrook.

Plotseling is het allemaal te veel.

Ik zak op de grond en mijn gezicht vertrekt van pijn door de gevoelige plek tussen mijn dijen.

Het volgende moment is Shahanna aan mijn zij met een dampende kom rijst. Ik eet, maar proef niets.

Ik doe mijn mond open – om haar te bedanken, om haar te vertellen hoe vreemd het voelt om weer onder mensen te zijn –, maar ik kan geen woorden vinden.
Als ik mijn rijst op heb, helpt ze me overeind en zegt dat ik samen met alle anderen tv moet komen kijken.

'Het is leuk,' zegt ze. 'Zul je zien.'

Als we bij de tv-kamer komen, drukt het fronsende meisje op de knop. De doos komt tot leven, net als daarvoor. Er verschijnen vreemde woorden op het glas en er klinkt luide, vrolijke muziek. De meisjes juichen.

'Het is *The Bold and the Beautiful*,' zegt Shahanna. 'Het komt uit Amerika. Het is onze lievelingsserie.'

In de tv praat een kleine man met een roze huid tegen een vrouw met strokleurig haar. Ze tilt haar hand op om hem in zijn gezicht te slaan, maar hij grijpt haar pols en houdt haar tegen.
En daarna, zonder verdere waarschuwing, kussen ze elkaar.

De meisjes van Huize Geluk klappen en juichen en kakelen als kippen.

De kleine roze tv-man en -vrouw vind ik vreemd.
Maar deze meisjes van vlees en bloed vind ik nog vreemder.

Dat ze kunnen eten, lachen en gewoon doen terwijl de mannen straks zullen komen, is zo verbijsterend dat ik, terwijl zij lachen, tegen mijn tranen vecht.

IN MIJN NIEUWE KAMER

Er hangen platen van goden en filmsterren aan de muren, een elektrische zon bungelt in het midden van het plafond, er is een varenbladmachine die de lucht in beweging brengt, een gat in de vloer als latrine, ijzeren tralies voor de ramen, en vier touwbedden die gescheiden worden door oude lakens die van het plafond naar beneden hangen.

'Als je een klant hebt, trek je het laken rond je bed,' zegt Shahanna.

We delen een kamer met zijn zessen: het meisje met het scheve gezicht dat Anita heet; een hoestende vrouw die Pushpa wordt genoemd, en haar twee kinderen. Een van de kinderen is een peuter, die over de vloer rondkruipt en een lege plastic fles aan een touw meezeult. De andere, zegt Shahanna, is een jongen van acht.

Ze wijst naar het meisje met het scheve gezicht. 'Anita komt ook uit ons land,' zegt ze.

Ik houd mijn handpalmen ter hoogte van mijn hart tegen elkaar en groet haar in onze taal. Ze kijkt even naar me en gaat dan verder met het opplakken van een filmsterrenplaat boven haar bed. Ik kan uit haar scheve gezicht niet opmaken of ze lacht of boos kijkt. Of allebei. Of geen van tweeën.

De hoestende vrouw, Pushpa, is voor Mumtaz komen werken toen haar man overleed. Ze is mooi – een donkere huid met amandelvormige ogen –, maar zo mager dat haar sleutelbeenderen boven haar jurk uitsteken als de takken van een neemboom.

Terwijl Shahanna aan het woord is, krijgt Pushpa een hoestaanval die haar hele lichaam doet schudden. Als het hoesten bedaart, spuugt ze in een zakdoek, slaakt een diepe zucht en krult zich dan op op het bed met haar gezicht naar de muur. Het kleine meisje trekt aan Pushpa's vlecht en roept: 'Mamma, mamma', maar Pushpa geeft geen antwoord.

ONTMOETING MET DE DAVID BECKHAMJONGEN

Halverwege de middag komt een jongen van een jaar of acht binnen die een rugzak in de hoek smijt. Hij heeft haar dat omhoogsteekt als de pluimen van een maïsstengel en knieën zo knobbelig als die van een babygeitje. Hij geeft Pushpa een kus op haar wang en kietelt baby Jeena onder haar kin.

Hij ziet mij en wijst op zijn shirt. Op de rug staat het nummer drieëntwintig. 'David Beckham,' zegt hij.

Ik begrijp die woorden niet, maar het is duidelijk dat deze David Beckhamjongen heel trots is op zijn shirt.

Shahanna zegt dat het tijd wordt om onze make-up op te doen. Pushpa komt vermoeid overeind, geeft de baby een fles en legt haar op een matrasje onder haar bed. De David Beckhamjongen grijpt een papieren vlieger en rent ervandoor.

Als ik zijn taal kon spreken, zou ik hem vragen of de avondlucht in de stad ruikt als de avondlucht op de berg, naar regenwolken en jasmijn, en vol belofte.

ALLES WAT IK NU MOET WETEN

Terwijl Anita en Pushpa voor de spiegel staan om hun gezichten te schilderen, legt Shahanna me alles uit.

Hiervoor, toen je in de afgesloten kamer zat, zegt Shahanna, stuurde Mumtaz de klanten naar jou toe. Nu moet je, als je je schuld wilt afbetalen, doen wat nodig is om de mannen naar je toe te trekken.

Zeg tegen de klanten dat je twaalf bent, zegt ze. Anders slaat Mumtaz je bewusteloos.

Doe alles wat de klant van je vraagt, zegt Shahanna.
Anders slaat hij je bewusteloos.
Dan doet hij waar hij zin in heeft en gaat weg zonder te betalen.

Was je altijd met een natte doek als de man klaar is, zegt Pushpa.
Dan loop je geen ziekte op.

Als een klant je aardig vindt, geeft hij je soms een snoepje, zegt ze.
Je moet het meteen opeten. Anders pakt Mumtaz het af en eet het zelf op.

Als een klant je aardig vindt, geeft hij je soms een fooi. Verstop die waar niemand het kan zien zodat je genoeg geld hebt om elke dag een kop thee te kopen.

Eens per maand, zegt Pushpa, komt een vrouw van de regering aan de achterdeur met een mandje condooms. Pak een handvol en verberg ze onder je matras, maar laat Shilpa, het oude vogelmeisje, het niet zien; ze is Mumtaz' spion.

De Amerikanen zullen proberen je over te halen om weg te lopen, zegt Anita. Trap er niet in. Ze zullen je te schande maken en je naakt over straat laten lopen.

Als er een oude man aan de deur komt, knipper met je wimpers en doe alsof je een klein meisje bent, zegt Pushpa. Daar betaalt hij extra voor.

Als Mumtaz met een van haar belangrijke vrienden komt aanzetten, knipper met je wimpers en doe alsof je een klein meisje bent, zegt Shahanna. Hij betaalt niets.

Er zijn speciale dingen die je moet weten over hoe je je omslagdoek moet gebruiken, zegt ze.

Als je met de uiteinden van je omslagdoek in een kom-maar-dichterbij-gebaar wappert, trek je de verlegen mannen naar je bed, de mannen die je een extra muntstuk toestoppen voor ze weggaan.

Trek je omslagdoek omhoog tot je kin en buig je hals als een pauw. Dat trekt de oudere mannen naar je bed, de mannen die een snoepje op je kussen achterlaten.

Druk je omslagdoek met de rug van je hand tegen je neus, zegt

Pushpa, als je een vieze man naar je bed moet lokken. Hij laat alleen zijn geur achter, de stank van zweet, haarolie en alcohol en man. Maar met je omslagdoek kun je het ergste tegenhouden.

Anita draait zich van de spiegel af, ze is van een boerenmeisje met een scheef gezicht veranderd in een stadse vrouw met tijgerogen.

Er is nog een manier om je omslagdoek te gebruiken, zegt ze.

Ik kan uit haar voortdurend ontevreden gezicht niet opmaken of ze het aardig of wreed bedoelt.

Dat nieuwe meisje, in jouw oude kamer, zegt ze.
Gisterochtend vond Mumtaz haar aan de nokbalk hangen.

DE SCHIJN OPHOUDEN

Pushpa's gehoest is vandaag zo erg dat ze niet uit bed kan komen, dus spelen we om de beurt met baby Jeena en kietelen haar, maken lieve geluidjes, laten haar op onze knieën dansen. Het blijft rustig tot Anita en de kokkin aan elkaars oren beginnen te trekken over wiens beurt het is om de baby vast te houden. Midden onder hun geruzie begint de baby te huilen.

Pushpa komt vermoeid overeind en neemt Jeena in haar armen. 'Je weet het niet meer,' fluistert ze tegen haar kleine meisje, 'maar vroeger hadden we een echt huis.' Ze knoopt haar blouse los en legt het kind aan de borst. Maar het heeft geen enkele zin. Er zit geen voeding meer in Pushpa's verlepte lichaam en de baby begint opnieuw te huilen.

Jeena is niet de enige baby hier. Verschillenden van de vrouwen hebben kinderen. Ze verafgoden ze, steken zich nog dieper in de schulden bij Mumtaz om nieuwe kleren te kopen voor school, en haarlinten en gympen. De anderen – de vrouwen zonder kinderen – behandelen hen als troeteldieren, en als een van hun goede klanten een fooi achterlaat, kopen ze snoepjes voor hen bij de straatjongen.

Ik vraag Shahanna waarom ze dat doen.

'We hebben allemaal behoefte om de schijn op te houden,' zegt ze. 'Als we dat niet deden, hoe zouden we dan moeten leven?'

'Maar waarom vindt Mumtaz dit goed?'

'Mumtaz is de enige die niet doet alsof,' zegt ze. 'Ze weet dat de vrouwen niet weg kunnen als ze eenmaal kinderen hebben. Ze zullen alles doen wat ze vraagt, anders worden ze op straat gegooid.'

Ik vraag Shahanna waarom de vrouwen geen injectie krijgen die ervoor zorgt dat er geen baby's komen.

Ze kijkt me aan alsof ik gek ben. 'Alle meisjes willen baby's,' zegt ze. 'Het is de enige familie die we hier hebben.'

En daarom gaan de kinderen van Huize Geluk 's morgens naar school en komen 's middags thuis en maken hun huiswerk. Ze spelen tikkertje in de steeg, eten taartjes en kijken tv.

Maar 's avonds wordt het moeilijker om de schijn op te houden. Zo gauw het donker wordt, gaan de grotere kinderen het dak op. Ze vliegeren met zelfgemaakte vliegers tot ze te moe zijn om overeind te blijven, omdat ze pas laat in de nacht, nadat de mannen eindelijk zijn vertrokken, naar beneden durven komen om te slapen. De jongere kinderen, zoals Jeena, krijgen een speciaal drankje om onder het bed te kunnen slapen terwijl hun moeders met klanten bezig zijn.

De morgen komt vroeg voor de kinderen van Huize Geluk, en met versufte en troebele ogen smeken ze om langer te mogen slapen.

Het kost heel veel overreding om ze hun schoolkleren te laten aantrekken, en weer aan een dag van schone schijn te laten beginnen.

DE KLANTEN

Ze zijn oud, jong, vuil, schoon, groot, klein, donker, licht,
met baard, zonder baard, dik, dun.

Ze zijn allemaal hetzelfde.

De meesten komen uit de stad.
Een paar komen uit mijn land.

Op een dag zei een klant iets in mijn taal tegen zijn vriend bij
het weggaan.
'Hoe was die van jou?' vroeg hij. 'Was ze goed?'

'Ze was geweldig,' zei de ander. 'Ik zou nog wel een keer willen.'

'Ik ook,' zei de eerste. 'Had ik nog maar dertig roepie.'

Dertig roepie.

De prijs van een flesje Coca-Cola in Bajai Sita's winkel.

Dat heeft hij voor mij betaald.

REKENEN

Op de dorpsschool leerden we optellen, aftrekken, vermenigvuldigen en delen.

De onderwijzeres gaf ons moeilijke opdrachten en vroeg ons om uit te rekenen hoeveel manden rijst een gezin moest verkopen om een nieuwe waterbuffel te kunnen kopen. Of hoeveel lengte stof een moeder nodig had om een vest en broek te maken voor haar echtgenoot en nog genoeg over te houden voor een jurkje voor haar baby. Terwijl mijn hoofd gonsde, kauwde ik dan op de punt van mijn vlechten en verlangde wanhopig naar het antwoord dat een glimlach op haar zachte maangezicht zou toveren.

Hier maak ik een ander soort sommen.

Als ik elke nacht een stuk of zes mannen mee naar mijn kamer neem, en elke man betaalt Mumtaz dertig roepie, ben ik elke dag honderdtachtig roepie dichter bij huis. Als ik nog honderd dagen werk, heb ik bijna genoeg om de twintigduizend roepie terug te betalen die ik Mumtaz schuldig ben.

Dan leert Shahanna me aftrekken op de stadse manier.

De helft van wat de mannen betalen gaat naar Mumtaz, zegt ze. Dan moet je er nog eens tachtig roepie aftrekken voor wat Mumtaz rekent voor je dagelijkse rijst en bonen. Nog eens honderd per week voor de huur van je bed en je kussen. En vijfhonderd voor de injectie die de vuilehandendokter ons eens per maand geeft zodat we niet zwanger worden.

En ze waarschuwt: Mumtaz begraaft je levend als ze jouw schriftje met cijfers ziet.

Ik maak de sommen.

En besef dat ik al levend begraven ben.

MONICA

Er is hier één meisje dat de meeste klanten krijgt. Ze is niet de aantrekkelijkste – ze heeft een gezicht als een vos en spitse grijze tanden –, maar ze is de brutaalste. Terwijl de rest van ons wacht tot de mannen in onze richting wijzen, richt Monica vanaf het moment dat ze de deur binnenkomen haar hongerige ogen op hen.

Ze knippert niet met haar wimpers en speelt niet het kleine meisje. Ze dost zich uit en paradeert en windt haar armen om de mannen heen als een dorstige klimplant.

Op een avond ben ik alleen met Monica. Ze bestudeert een van haar geliefde filmtijdschriften en poseert en tuit haar lippen als de vrouw op de bladzijde die voor haar ligt.

'Ik kan je wat trucjes leren,' zegt ze tegen mij. 'Trucjes waardoor de klanten meer zullen betalen.'

Ik ben bang van deze dorstigeklimplantvrouw. Ik kijk naar mijn gevouwen handen in mijn schoot en zeg niets.

'Denk je soms dat je beter bent dan ik?' vraagt ze. 'Te goed om mijn trucjes te leren?'

Ik ben te bang om zelfs maar mijn hoofd te schudden.

'Ha!' Ze lacht vreugdeloos en gooit met een ruk van haar hoofd het haar over haar schouder. 'Ik heb bijna genoeg verdiend om mijn schuld terug te betalen,' zegt ze. 'Over een maand ben ik op weg naar huis.'

Ik probeer het me voor te stellen – dat Monica gauw vrij zal zijn – als er een man de kamer binnenkomt. Hij heeft stadsschoenen aan en een gouden ketting om zijn hals. In een oogwenk is Monica bij hem en windt haar armen om hem heen als een slang.

En daarna zijn ze weg en blijf ik achter met een vreemd en ietwat onaangenaam gevoel: teleurgesteld dat de man niet mij koos.

EEN GEWONE JONGEN

Ik heb op de David Beckhamjongen zitten letten, ook al laat ik
dat niet merken.

Ik weet dat het eerste wat hij doet als hij uit school komt,
is Pushpa kussen en zijn babyzusje kietelen.
Ik weet dat hij zijn tong uitsteekt als hij ingespannen aan
zijn huiswerk zit.
Ik weet dat Anita haar brood voor hem bewaart, omdat zij
niet kan kauwen met haar slechte kant.
Ik weet dat hij twee lievelingsprogramma's op tv heeft: eentje
waarbij mannen een zwart-witte bal rondschoppen op een enorm
groen rijstveld, en een ander waarbij mensen het goede antwoord
proberen te raden op moeilijke vragen om een miljoen roepie te
kunnen winnen. En ik weet dat hij meespeelt met het miljonairs-
programma, omdat ik hem bij zichzelf de antwoorden zag
fluisteren.
Ik weet dat hij zijn bezittingen in een blikken koffer onder zijn
bed bewaart. En ik weet wat erin zit: een roestige sleutel, een lege
fles haarolie, een plastic bloem en drie gouden knopen, omdat
ik er op een dag in heb gegluurd toen hij op school zat.

Door al dat kijken, weet ik dat hij gewoon een normale jongen is.

Maar soms merk ik dat ik een hekel aan hem heb.
Ik heb een hekel aan hem omdat hij schoolboeken heeft,
en vriendjes om mee te spelen.
Omdat hij een moeder heeft die als ze zich goed voelt
's morgens zijn haar kamt.

En omdat hij vrij is om te gaan en staan waar hij wil.

Maar soms heb ik een hekel aan mezelf omdat ik het land aan hem heb.

Alleen maar omdat hij een gewone jongen is.

WAT ER NU WEG IS

Ik heb geen erg meer in de stank van de latrine binnenshuis. En de slagen van Mumtaz' riem voel ik al lang niet meer.

Maar toen ik vandaag mijn gezicht in de bundel kleren van thuis begroef, zat er geen rook van het haardvuur in de plooien van mijn rok, geen knisperende Himalayanachtlucht in mijn omslagdoek.

Ik ben streng geweest voor mezelf en heb de bundel niet meer dan eens per dag durven losknopen, bang dat hij zijn toverkracht zou verliezen.

Maar vandaag zijn het gewoon een versleten rok en een rafelige omslagdoek geworden.

STELEN VAN DE DAVID BECKHAMJONGEN

Het lijkt alsof de David Beckhamjongen hier een zaak drijft.

's Middags doet hij boodschappen. De goed verdienende meisjes, de meisjes die hun fooien mogen houden, geven hem een lijst met wat ze nodig hebben en sturen hem naar de winkels. Ik heb hem zien terugkomen met filmtijdschriften voor Monica en Coca-Cola voor Shilpa. Soms krijgt hij alleen een kleverige lippenstiftkus op zijn wang. Maar andere keren krijgt hij wat kleingeld voor de moeite.

's Nachts werkt hij voor hun klanten. Ze roepen hem en hij rent naar de hoek om alcohol of sigaretten voor hen te halen. Soms krijgt hij niets meer dan een klopje op zijn hoofd. En andere keren, als hij er te lang over doet, een klap in zijn gezicht. Maar soms krijgt hij een of twee roepie.

Als hij denkt dat er niemand kijkt, verstopt hij zijn verdiensten in zijn blikken koffertje.

Op middagen dat hij buiten tikkertje speelt met zijn schoolkameraadjes of met zijn boodschappen bezig is, steel ik van de David Beckhamjongen.

Ik pak trouwens niet zijn geld, ik steel iets beters.

Terwijl de andere meisjes beneden tv-kijken, pak ik zijn felgekleurde verhalenboek en doe alsof het van mij is.

Ik begrijp de woorden niet die erin staan, en de plaatjes zijn raar en van een andere wereld.

Maar toch zeker een paar minuten doe ik alsof ik op school zit met Gita en mijn zachte onderwijzeres met het maangezicht, en dat ik weer het eerste meisje van de klas ben.

BEGRIP VOOR ANITA

Ik vraag Shahanna waarom Anita altijd zo boos kijkt.

'Ze is altijd boos,' zeg ik. 'Zelfs wanneer *The Bold and the Beautiful* op tv is.'

'Anita is een keer gevlucht,' zegt Shahanna. 'Toen de goonda's haar vonden, hebben ze haar met een metalen pijp geslagen.'

Ik ken dat woord *goonda* niet.

'De goonda's zijn mannen die voor Mumtaz werken,' zegt ze. 'Als je probeert te vluchten, maken ze jacht op je. Als ze je te pakken krijgen, slaan ze je. Als je een ziekte krijgt, gooien ze je op straat. Als je weer binnen probeert te komen, slaan ze je.'

Ik vraag Shahanna wat er met Anita is gebeurd.

'De goonda's hebben haar wang en haar kaak verbrijzeld. Nu is één kant van haar gezicht dood. Ze kan niet lachen, zelfs al zou ze daar een reden voor hebben.'

AFSTANDSBEDIENING

Shahanna heeft uitgelegd dat er een doosje is waarmee Anita de tv laat werken.

Als ze op de ene knop drukt, gaan de mensen erin harder praten.

Als ze op een andere knop drukt, gaan ze zachter praten.

Soms, als Mumtaz hoofdpijn heeft, drukt Anita op een andere knop en maken de tv-mensen helemaal geen geluid.

De belangrijkste knop is de rode. Die kan de tv-mensen laten verschijnen.

Of laten verdwijnen.

Soms doe ik alsof wat er 's nachts gebeurt, als de klanten er zijn, niet mij overkomt. Ik doe alsof het een tv-programma is waar ik van heel, heel ver weg naar kijk. Ik doe alsof ik een knop heb die ik indruk om alles stil te laten worden. En een andere die me laat verdwijnen.

BETRAPT

Op een middag blijf ik te lang in mijn fantasieschool hangen en betrapt de David Beckhamjongen me bij het turen in zijn verhalenboek.

Ik laat het boek op de grond vallen en verwacht dat hij aan mijn haar zal trekken of me een tik op mijn vingers zal geven.

Maar hij houdt alleen maar zijn hoofd schuin en staart me aan. Hij komt dichterbij en bukt om het boek op te rapen. Hij steekt het mij toe. Maar ik keer hem mijn rug toe en vlucht de kamer uit, zodat de vloer bonst onder mijn stampende hielen.

Nu heb ik een nog grotere hekel aan hem dan daarvoor. Omdat hij me betrapt heeft bij het schooltje spelen. Omdat hij gezien heeft dat ik net zo'n leven wil als hij.

En omdat hij medelijden in zijn ogen had toen hij aanbood het met me te delen.

POLITIE

Vannacht zag ik iets raars. Meestal geven de mannen hun geld aan Mumtaz. Toen ik vanavond naar beneden kwam, zag ik dat Mumtaz een dikke rol roepies aan een man gaf.

Hij was helemaal in het bruin gekleed, zoals de man aan de grens, en hij droeg een pistool op zijn heup. Terwijl de man zijn geld telde, zag Shilpa me, het oude vogelmeisje dat voor Mumtaz spioneert, en ze joeg me weg.

'Is die man een goonda?' vraag ik aan Shahanna.

'Nog erger,' zegt ze, 'het is een politieagent.'

Ik begrijp het niet.

'Politieagenten moeten mensen als Mumtaz eigenlijk tegen-houden bij het verkopen van meisjes,' zegt ze. 'Maar aan deze geeft ze elke week geld en hij kijkt de andere kant op.'

Ik begrijp deze stad niet: hij zit zo vol slechte mensen.
Zelfs de mensen van wie je zou verwachten dat ze goed zijn.

TOCH GEEN GEWONE JONGEN

Tegenwoordig zit ik elke middag bij het raam zodat ik de David Beckhamjongen kan zien thuiskomen uit school. Op die manier kan ik het boek terugleggen in zijn schuilplaats voor hij binnenkomt.

Meestal zie ik eerst wat hij voor zich uit schopt: een citroenschil of een rotte ui van de afvalhoop. Hij doet alsof het een bal is, zoals de zwart-witte bal in het tv-programma waar hij zo dol op is.

Vandaag heeft hij geluk, want hij heeft een rotte meloen gevonden. Meloenen schijnt hij het liefst te hebben, omdat ze een prachtige rotzooi geven als ze de stoeprand raken.

Als hij de meloen in en uit de karrensporen van de weg wipt, steekt hij het puntje van zijn tong uit, zoals wanneer hij op zijn sommen broedt. En daardoor ziet hij de oudere jongens niet – de jongens die zwerfhonden opjagen met stenen – die aan de overkant van Huize Geluk staan te wachten.

Ik hoor niet wat ze tegen hem zeggen. Maar ze lachen en trekken aan zijn David Beckhamshirt.

Hij reageert met een enthousiaste glimlach en laat zien hoe goed hij de meloen op de punt van zijn voet kan laten balanceren.

Ze lijken onder de indruk. Tenminste voor even.

Daarna trekken ze aan zijn oor en plukken aan zijn David Beckhamshirt. Ik hoor niet wat ze zeggen, maar ik ken het woord dat ze hem steeds weer toe slingeren. Het is een lelijk woord, een woord dat de klanten schreeuwen als ze dronken of boos zijn. Ze noemen zijn ama een hoer.

De David Beckhamjongen kijkt heimelijk naar de voordeur waar Pushpa op de dagen dat ze zich goed voelt op hem wacht. Ik duik weg, maar niet voordat ik hem zijn handen in zijn zakken zie proppen en weg zie lopen, terwijl hij die fijne rotte meloen bij de stoeprand achterlaat.

NOG IETS WAT IK OVER DE DAVID
BECKHAMJONGEN WEET

Ik weet dat hij de laatste tijd, als hij vooroverbuigt om zijn ama
als elke middag te kussen, er langer over doet dan eerst.

Ik weet dat hij kijkt of ze koorts heeft.

Dat weet ik omdat ik Mumtaz tegen Pushpa heb horen zeggen
dat ze met zijn allen op straat worden gezet als de koorts terugkomt.

JA

Ik zit op mijn bed en tel de verdiensten van gisteren op bij de bedragen in mijn schrift als de David Beckhamjongen binnenkomt. Mijn oude gele potlood is niet veel meer dan een stompje en ik laat het in mijn mouw glijden zodat deze jongen die naar een echte school gaat en zijn huiswerk maakt met een fatsoenlijk potlood het niet zal zien.

Hij grijpt zijn vlieger en draait zich om om weg te gaan, dan staat hij even stil en kijkt me aan.

'Wil je dat ik je leer hoe je de woorden moet lezen in het verhalenboek?' zegt hij.

Dat wil ik wel.
Meer dan ik durf toe te geven.

'Ja,' zeg ik met mijn ogen nog steeds op mijn schrift gericht.
'Ja, dat wil ik wel.'

'Goed dan,' zegt hij. 'Dan geef ik je morgen les als ik uit school kom.'

Het volgende moment is hij verdwenen. En ik bedenk hoe lang het geleden is sinds morgen iets voor me betekende.

WAT IK VANDAAG HEB GELEERD

Toen de David Beckhamjongen vandaag uit school thuiskwam,
gooide hij zijn rugzak in de hoek, kuste zijn moeder, speelde met
zijn zusje en ging toen zitten om me een paar belangrijke dingen
te leren.

Ik heb geleerd dat er hier twee talen zijn. Hindi en Engels.

Ik heb geleerd dat Hindi niet zo veel verschilt van mijn
moedertaal.

Ik heb de Hindi woorden geleerd voor:
meisje,
jongen,
en *Hoe gaat het met je?.*

MEER WOORDEN

Vandaag leerde de David Beckhamjongen me nog een paar
woorden.

Nu kan ik zeggen:
zit,
loop,
boek,
kom,
goed,
slecht,
blij,
en *bedroefd.*

Ik heb ook een paar zinnetjes geleerd:
Ik heet Lakshmi.
Ik kom uit Nepal.
Ik ben dertien.

Ik heb ook geleerd dat de David Beckhamjongen Harish heet.
David Beckham schijnt een soort god te zijn.

TWEE WERELDEN

Vandaag doet de tv het niet, en de meisjes smeken Monica en Shilpa om over een film te vertellen. Monica lijkt geïrriteerd door dit verzoek, maar dat speelt ze, zegt Shahanna. Monica houdt meer van films dan van wat ook ter wereld.

En daarom zitten we aan Monica's voeten terwijl zij ons over een rijke bruid vertelt die zich verzette tegen het huwelijk dat haar ouders voor haar hadden geregeld. De bruid liep weg naar een festival en werd verliefd op een knappe jongen. Ze dansten en ze zongen en holden de regen in en uit. Tot de vader van de bruid haar vond en haar naar huis sleepte.
Op de dag van de bruiloft huilde de bruid bittere tranen toen de gasten goudsbloemen aan haar voeten wierpen. De bruidegom reed op een wit paard de huwelijkstent binnen. Maar de bruid bleef huilen. Tot ze zag dat het de jongen van het festival was. En ze dansten en zongen samen met de vader en moeder om de gelukkige liefdesverbintenis te vieren.

De andere meisjes hebben honderden vragen.
Hoe maken ze regen in een film?
Hoeveel goudsbloemen hebben ze gebruikt? Honderd? Duizend?
Had het paard een gouden zadel?

Ik heb maar één vraag.
'Hoe weten Monica en Shilpa alles over films?' fluister ik tegen Shahanna.

'Soms laat Mumtaz de meisjes die goed verdienen naar de film gaan,' zegt ze.

'Lopen die dan niet weg?'

'Shilpa is hier uit vrije wil,' zegt Shahanna. 'Ze is Mumtaz niets schuldig. Ze kan weg wanneer ze wil.'

Ik begrijp het niet.

'Haar moeder zat in het werk, en nu zit zij erin. Het is een familieberoep.'

'En Monica?'

'Monica gaat over ongeveer een maand naar huis.'

'Maar ze zou toch kunnen weglopen voor haar schuld is afbetaald,' zeg ik.

'Ze zeggen dat Monica thuis een kind heeft,' zegt Shahanna. 'Als ze wegloopt, pakt Mumtaz het kind.'

'Wat moet Mumtaz met een kind?'

'Ze zal het verminken – een hand of een voet afhakken – en het aan een bedelaarster verkopen,' zegt ze. 'Gevoelige mensen geven een of twee roepie extra als je een zieke baby hebt.'

Ik denk na over een wereld die zo lelijk is dat een kind voor een of twee roepie extra de kans loopt voor het leven verminkt te worden. En over die andere wereld vol bruiden en gouds- bloemen, regenmachines en witte paarden.

DE STRAATJONGEN

Behalve de oude groenteventer is de straatjongen die thee uit
een winkelwagentje verkoopt de enige bezoeker die hier overdag
komt.

Hij heeft nog nauwelijks haar op zijn gezicht en is mager en vuil,
maar de meisjes plagen hem en flirten met hem en zeggen dat ze
kussen willen ruilen voor thee. Hij flirt terug en maakt grapjes,
maar komt nooit in de buurt van hun bed.

Ik zit vandaag naar zijn fratsen te kijken als hij zich tot mij richt.
'Waarom koop je nooit thee van mij?' vraagt hij in mijn taal.

Ik ben te verlegen om antwoord te geven. Anders zou ik hem
vertellen dat ik al mijn geld opspaar om op een goede dag naar
huis te kunnen.

Maar ik schaam me ervoor dat een jongen uit mijn land me
op deze schandelijke plek ziet en dus vlucht ik zonder iets te
zeggen de kamer uit.

WAT IK VANDAAG HEB GELEERD

Mijn schrift is bijna vol. Er staan oude rekensommen in die mijn onderwijzeres uit de bergen me opgaf. Er staan vreemde nieuwe woorden in die ik heb geleerd op mijn reis met oom echtgenoot. Er zijn bladzijden vol sommen die aangeven wat ik Mumtaz schuldig ben en wat ik tot nu toe heb verdiend.

En nu zijn er bladzijden vol Hindi en Engelse woorden die Harish me heeft geleerd. Mooie woorden zoals:

snoep,

brood,

cricket,

pen,

potlood,

jurk,

armband,

radio,

strip

en *afstandsbediening.*

Shahanna komt binnen en ziet me in mijn schrift schrijven.

'Laat Mumtaz of Shilpa je daar niet mee zien,' zegt ze.

'Als ze erachter komen dat je kunt lezen en schrijven, zullen ze denken dat je van plan bent om te ontsnappen.'

Ik knik.

'En je dan weer in de afgesloten kamer stoppen.'

SHILPA'S GEHEIM

Vandaag kom ik op weg naar de keuken langs de telkamer en zie Shilpa een fles alcohol kopen van de straatjongen. Haar handen beven terwijl ze hem het geld geeft. Ze slokt in één keer de halve fles leeg en zegt dan tegen de jongen dat hij moet maken dat hij wegkomt. Terwijl hij langsloopt, kijkt hij steels naar mij en als Shilpa mij ziet, spuugt ze naar me en zegt dat ik me met mijn eigen zaken moet bemoeien.

Later vraag ik aan Shahanna waarom Shilpa dat weerzinwekkende vocht drinkt.

'Ze vindt het lekker,' zegt ze.

Ik begrijp het niet.

'Ze kreeg het van haar moeder toen ze klein was, zodat ze er geen last van zou hebben als haar moeder een klant had. Ze zegt dat ze het vroeger haatte. Maar nu houdt ze er te veel van.'

HOE GAAT HET MET JE?

Elke keer dat Harish me ziet, zegt hij in de nieuwe taal die ik leer:
'Hoe gaat het met je?'

En dan zeg ik: 'Goed, dankjewel, en met jou?'

Ik hou van de manier waarop deze woorden aanvoelen in mijn
mond.
Ook al zijn ze niet waar.

VREEMDE WOORDEN

Nu leert Harish me Amerikaanse woorden uit een nieuw verhalenboek. Het boek was een cadeautje van een blanke vrouw die een speciale zang- en muziekschool heeft waar Harish op zaterdag naartoe gaat.

Hij zegt dat de Amerikaanse dame aardig is. Hij zegt dat Anita ongelijk heeft over de Amerikanen en dat ze de kinderen uit de bordelen niet te schande zetten. Hij zegt dat Mumtaz haar dat heeft verteld om te zorgen dat ze niet wegloopt.

Ik weet niet wie van hen ik moet geloven.

Maar uit dit verhalenboek weet ik wel dat Amerika een vreemde plek is.

Iedereen is er zo rijk als een koning.
De vogels zijn er zo groot als mensen.
Ze eten er taartjes die van sneeuw zijn gemaakt.
En de kinderen spelen dat schopspel met de zwart-witte bal,
net zoals op de tv.
Dat is het David Beckhamspel, zegt Harish.

Dit zijn de Amerikaanse woorden die ik kan zeggen:
Pino,
Elmo,
ijsje,
voetbal.

MAAK DE KOK NIET KWAAD

Vandaag leer ik een nieuwe Hindi zin: 'Maak de kok niet kwaad, anders spuugt ze in je soep.'

Hirash zegt het met een heel ernstig gezicht, en eerst herken ik het woord *kok* niet.
Dus gebruikt hij zijn handen om een roerende beweging te maken. Ik begrijp het nog steeds niet.
Daarom tekent hij in zijn schrift de figuur van een vrouw met een dik achterste. Dan springt hij overeind, steekt zijn buik vooruit en stampt de kamer rond, terwijl zijn magere jongensbenen een volmaakte imitatie geven van haar dreunende manier van lopen.

'*Kokkin!*' roep ik op het laatst.

Harish gooit zijn hoofd achterover en lacht.

En ik lach ook.

Het is vreemd om na al die maanden te lachen, raar en ongewoon.
Maar ergens helemaal niet moeilijk.

EEN ONBEDOELDE VRIENDELIJKHEID

De man die vandaag naar mijn kamer kwam, leek niet op
de anderen.

Hij was jong, schoon en vriendelijk.

Hij stond niet gewoon op om zijn broek dicht te ritsen toen hij
klaar was, of viel zwaar boven op me in slaap zoals sommigen
doen. Hij deed zijn haar niet goed in de spiegel en liep niet weg
zonder een woord.

Hij hield me tegen zich aan.

Misschien was het toeval. Of misschien vergat hij waar hij
was en verbeeldde hij zich een moment dat hij bij zijn liefje
was.

Maar ik voelde mezelf, mijn werkelijke zelf, toegeven aan dat
simpele genoegen van vastgehouden worden. Zijn lichaam ver-
warmde het mijne zoals de Himalayazon de grond verwarmt.
Zijn huid was zacht, als het fluweel van Tali's neus. En zijn
tevredenheid sijpelde in me door als een regenbui aan het einde
van de dag.

En dus hield ik hem ook vast.

Langzaam sloeg ik mijn armen om hem heen en liet ze daar.

Uiteindelijk lieten we elkaar los. Ik was de laatste die losliet.

Hij ging staan en keek me met iets van verlegenheid aan. 'Dankjewel,' zei hij.

Harish had me geleerd hoe ik dankjewel moest zeggen in zijn taal, maar het leek een gebrekkig woord voor wat ik deze man verschuldigd was.

BEN IK MOOI?

In de dagen na het vertrek van de omhelzende man bekijk ik mezelf in de spiegel. Mijn gewone ik, niet de ik met lippenstift en oogpotlood en een doorzichtige jurk.

Soms zie ik een meisje dat een vrouw aan het worden is.

Op andere dagen zie ik een meisje dat oud aan het worden is voor haar tijd.

Het doet er natuurlijk niet echt toe. Want niemand zal me nu ooit nog willen.

NIET TELLEN

Het is twaalf dagen geleden sinds de omhelzende man kwam.
Ik heb besloten niet meer de dagen te tellen tot hij terugkomt.

BEGRIP VOOR MONICA

Iedereen hier is bang voor Monica's humeur. Toen de kokkin een droevig lied in de muziekmachine deed, rukte Monica aan haar vlecht tot de kokkin het uitzette. Toen Anita vroeg of het waar was dat ze thuis een kind had, trok Monica aan haar oor tot ze het uitschreeuwde. En toen Shahanna zonder kloppen haar kamer binnenkwam, slingerde Monica een stel schoenen naar haar hoofd.

Maar Monica heeft ook vreemde buien van vriendelijkheid. Op een keer, toen de vuilehandendokter zich tegen me aan drukte in een gangetje achter in het huis, trok Monica hem van me af en zei dat hij zou moeten betalen als iedereen. En onlangs gaf ze Anita een flesje nagellak en zei dat ze het niet nodig had als ze volgende maand naar huis ging.

Dus als ik haar alleen tv zie kijken, sluip ik de kamer binnen en zit zwijgend bij haar, me afvragend welke Monica ze vandaag is.

Ze kijkt me aan en steekt vervolgens een sigaret op. 'Jij kunt toch schrijven?'

Ja, ik kan schrijven. Thuis is het iets om over op te scheppen. Maar zoals Shahanna me heeft verteld, is het hier gevaarlijk om het toe te geven.

'Mijn kleine meisje kan schrijven,' zegt ze. 'Ik betaal haar schoolgeld.'

Dus het is waar, het gerucht over Monica's kind.

'Ik heb haar medicijnen betaald,' zegt Monica met haar puntige kin in de lucht. 'En de operatie van mijn vader. En een bril voor mijn zus.'

Ik steek mijn kin ook omhoog.
'Ik koop een nieuw dak voor ons huis,' zeg ik.

Monica blaast rook uit. 'Ze zullen ons bedanken,' zegt ze. 'Ze zullen ons bedanken en ons eer betonen als we naar huis gaan.'

Ik durf me dat niet voor te stellen, een dag die zo ver weg ligt dat hij een droom lijkt.

'Mijn zus schreef dat mijn kleine meisje geen pap lust,' zegt Monica.

Ik probeer me dat voor te stellen, een onstuimige kleine Monica.

'Ik wed dat ze je zus knijpt als die probeert haar het te laten eten,' zeg ik.

Monica kijkt verbaasd, dan moet ze lachen en trekt heel zachtjes aan mijn oor, en we gaan weer naar de tv-wereld vol bruiden en witte paarden zitten kijken.

EEN CADEAU

Vandaag is het het festival van de broers en zussen, zegt Harish.
Hij laat me de lappenpop zien die hij aan Jeena wil geven. 'Ik heb
hem van mijn eigen geld gekocht,' zegt hij.

Dan geeft hij me een potlood. Het is glanzend geel en het ruikt
naar lood en rubber. En naar belofte.

'Voor jou,' zegt hij.

Daarna rent hij ervandoor, met zijn papieren vlieger in de hand.
En ik ben blij, omdat er iets vreemds gebeurt. Iets verrassends
wat zich niet laat stoppen.

Een traan rolt over mijn wang. Hij bibbert even aan de punt van
mijn neus, en spat dan op mijn rok, waar hij een kleine donkere
kring achterlaat.

Ik ben hier geslagen,
opgesloten,
honderd keer verkracht,
en nog eens honderd keer.
Ik ben uitgehongerd
en bedrogen,
voor de gek gehouden
en onteerd.

Wat vreemd dat de simpele vriendelijkheid van een kleine jongen
met een geel potlood me zo van mijn stuk brengt.

IETS VOOR DE DAVID BECKHAMJONGEN

De volgende dag sta ik bij het raam te wachten tot Harish uit school komt. Ik zie hem de steeg door komen terwijl hij zogenaamd voetbalt met een blikje. Ik tik op het raam, en een paar minuten later hoor ik hem de trap op springen.

Hij loopt onze kamer binnen en ik bied hem mijn cadeau aan: het is een bal van lappen, mijn oude daagse omslagdoek in repen gescheurd en opgebonden tot een vaste ronde bundel.

Hij weet niet wat hij met deze voddenbundel aan moet.

'Een voetbal,' zeg ik.

Hij pakt de voddenbal aan en laat hem op zijn teen balanceren. Hij knikt instemmend. Hij tikt de bal met zijn voeten de kamer rond. Dan geeft hij hem een goede stevige schop in de richting van de deurpost. Hij spreidt zijn armen wijd, als een vogel in de lucht, en roept over zijn schouder snel nog een bedankje.

Dan is hij weg. Ik hoor de voordeur dichtgaan en ren naar het raam om hem te zien veranderen in een blootsvoetse David Beckham die om winkelende mensen en riksja's heen zigzagt terwijl hij de steeg uit rent.

IK TEL NOG STEEDS NIET

Het is dertig dagen geleden dat de omhelzende man kwam.
Ik denk dat hij niet terugkomt.

TOEN MONICA WEGGING

Ze gaf al haar make-up en sieraden weg. Ze gaf Shahanna zelfs de schoenen die ze haar naar het hoofd had geslingerd. Ze kwam naar mijn kamer om gedag te zeggen, maar ik had me onder de deken verstopt en deed alsof ik sliep zodat ze de afgunst in mijn hart niet kon zien.

Nadat ze weg was, vond ik het filmtijdschrift dat ze op mijn kussen had achtergelaten.

Die middag stopte de kokkin een droevig lied in de muziek-machine. En wij, die in Huize Geluk achtergebleven zijn, luisterden het hele lied uit, te verdrietig om te huilen.

SORRY

Als Harish vandaag thuiskomt, is de zon al onder en is het voor mij tijd om aan het werk te gaan. Maar hij neemt even de tijd om me twee nieuwe woorden te leren voordat hij het dak op gaat om te vliegeren.

Het eerst woord is *knikkers*. Hij steekt zijn hand uit en laat me de kleurige glazen balletjes zien. Hij legt, geloof ik, uit dat hij te laat was voor onze les omdat hij met zijn vrienden aan het knikkeren was bij de school van de Amerikaanse dame.

Het andere woord is *sorry*. Hij zegt dat hij het heel jammer vindt dat we vandaag geen les kunnen hebben. Dat is wat sorry betekent, zegt hij.

Ik woel door zijn haar en zeg dat hij het niet jammer hoeft te vinden. Trouwens, zeg ik, ik heb vandaag te veel hoofdpijn om les te krijgen.

DE KOSTEN VAN EEN MEDISCHE BEHANDELING

Ik lig op mijn bed, doornat van het zweet, en heb moeite om wakker te worden.

Ik glijd weg in een droom en Gita en ik spelen het hinkelen-op-één-been-spel op het zandpad tussen onze hutten. Ze bukt, raapt een steen op uit een van de vakken die we met een stok hebben getekend, en springt dan weg met haar lange zwarte vlecht heen en weer zwaaiend op het ritme van het liedje dat ze half zingt, half opzegt. Ze draait zich om en wenkt me. Maar op de een of andere manier is ze in tante Bimla veranderd die met zwart-gevlekte tanden hetzelfde liedje zingt.

Ik doe mijn ogen open en zie de plek waar ik nu woon: een donkere kamer met vier bedden, vier vuile gordijnen die van het plafond neerhangen, en ijzeren tralies voor de ramen.

Nu ril ik van de kou. Ik trek het dunne laken om mijn schouders, maar het rillen houdt aan. Ik druk me tegen de muur met mijn armen om me heen, en algauw ben ik weer aan het zweten.

Zo is het al sinds afgelopen nacht. Slapen en dan weer wakker worden, koorts en dan weer rillingen. Elk voert strijd om mijn lichaam.

Nu buigt Harish in zijn David Beckhamshirt zich over me heen. Hij legt zijn hand op mijn voorhoofd. Als ik kon praten, zou ik hem smeken om voorgoed bij me te blijven, met zijn koele hand op mijn voorhoofd. Maar hij verdwijnt.

En ik droom weer. Van vliegen – op de vleugels van zijn vlieger –
hoog boven de besneeuwde zwaluwstaartpiek, terwijl hij beneden
staat en meer en meer touw laat vieren, steeds meer, tot hij nog
maar een stipje is.

Een boze stem brengt me terug op aarde. Het is Mumtaz.

'Aansteller,' zegt ze. 'Kom je bed uit.'

Ik doe mijn ogen open en zie haar over me heen gebogen staan,
met Harish naast haar die zijn hoofd schudt. Hij legt weer zijn
hand op mijn voorhoofd en zegt iets tegen Mumtaz waardoor ze
fronst. Ze gebaart met haar hand alsof ze naar een vlieg slaat en
stuurt hem weg.

'Heb je jezelf steeds gewassen?' vraagt ze. 'Na de mannen. Was je
jezelf daarbeneden?'

Ik probeer te knikken, maar mijn hoofd is zwaar en pijnlijk, een
ding in de verte waar ik geen macht over heb. Het enige wat ik
kan, is mijn ogen sluiten.

Nu lig ik in een ander bed. Een vriendelijke vrouw in het wit
buigt zich over me heen en bet mijn hoofd met een koude doek.
Ze zegt dat ze me wat van het zoete Amerikaanse, van ijs
gemaakte snoep zal brengen, daarna verdwijnt ze.

Nu klim ik uit het raam van dit nieuwe huis, ik sluip in mijn
nachtpon door de straten, langs de pindaverkoper, langs de kinderen die met een bal spelen, langs de vrouwen die op stoffen-

jacht zijn, langs de zwerfhonden die door het afval snuffelen, tot ik blijf rennen, naar huis.

'Hier,' zegt een stem. 'Neem deze.'

Ik doe mijn ogen open.

Mumtaz staat over me heen gebogen. Mumtaz, met haar bolle mangogezicht, staat op de plaats van de vriendelijke vrouw in het wit en steekt me een paar witte pilletjes toe.

Dan begrijp ik dat de vrouw met haar koude doek en het sneeuwsnoep en het rennen alleen maar een droom waren.

Mumtaz tilt mijn hoofd van het kussen, legt de pilletjes op mijn tong en zet een glas water aan mijn lippen.

Ik slik, en heel even houd ik van haar.

Ik houd van haar als van een moeder, omdat ze me het medicijn geeft dat de koorts, het zweten, de koude rillingen en het beven zal stoppen. Ik houd van haar omdat ze me niet de straat op gooit, omdat ze voor me zorgt.

Ik steek mijn hand uit om haar te bedanken, maar ze is druk in de weer, legt nog twee pilletjes op het tafeltje naast mijn bed, en schenkt mijn waterglas nog een keer vol.

'Neem deze vanavond in,' zegt ze. 'Dan ben je binnen de kortste keren weer aan het werk.'

Dan wikkelt ze de band van haar onderrok los en haalt haar rekenschrift tevoorschijn. Met het puntje van haar tong maakt ze haar potlood nat en schrijft een getal in haar boek.

'Binnen een paar dagen ben je in staat om de medicijnen terug te verdienen,' zegt ze.

En dan is ze weg.

En hoe ik het ook probeer, ik kan mijn dromen niet terughalen.

EEN OUDE VROUW

Als ik een paar dagen later eindelijk sterk genoeg ben om uit bed te komen, kom ik langs een spiegel. Het gezicht dat me aankijkt, is dat van een dode.

Haar ogen zijn leeg. Ze is oud en moe. Oud en boos. Oud en bedroefd. Oud, zo oud, wel honderd jaar.

Ik spreek haar aan met de woorden die Harish me heeft geleerd.

'Ik heet Lakshmi,' zeg ik tegen haar. 'Ik kom uit Nepal. Ik ben dertien jaar.'

DE LEVENDE DODE

Vandaag zit er, ineengedoken boven haar kom en kieskauwend op haar rijst, een onbekend iemand aan tafel. Ze kijkt op en ik zie dat het Monica is.

'Nou,' zegt ze vreemd opgewekt, 'mijn vader is hersteld van zijn operatie.'

Ze glimlacht breed, te breed. En haar boze opgewektheid maakt me bang.

'Hij heeft een stok nodig,' zegt ze. 'Maar hij is nog zo sterk als een geit.'

Ik knik langzaam, niet wetend wat ik moet zeggen.

'Kijk,' zegt ze. Ze schudt haar omslagdoek af en laat armen en schouders vol vurige blauwe plekken zien. 'Dit deed hij met zijn stok.'

Ik huiver.
Maar Monica lacht bitter.

Ik begrijp het niet.
'Ik dacht dat je zei dat ze je eer zouden betonen en je zouden bedanken,' zeg ik.

Ze snuift.

'Toen ze hoorden dat ik eraan kwam,' zegt ze, 'kwamen ze me buiten het dorp tegemoet en smeekten me om niet terug te komen en schande over hen te brengen.'

'Heb je je dochter te zien gekregen?' vraag ik.

Monica ontwijkt mijn blik.

'Ze hebben haar verteld dat ik dood ben.'

WOORDEN SCHIETEN TEKORT

Pushpa ligt al drie dagen in bed en nu is Mumtaz in onze kamer. 'Als je vandaag niet je bed uit komt om klanten te ontvangen,' zegt ze, 'lig je op straat.'

Pushpa knikt, gaat langzaam staan en zinkt dan op haar knieën. Ze kust Mumtaz' voeten.

'Alsjeblieft,' smeekt ze. 'Ik ga vanavond aan het werk. Ik beloof het.'

Dan krijgt ze een van haar hoestaanvallen. Ze hoest tot de tranen over haar wangen lopen en ze bloed spuugt in een lap.

'Tsss,' zegt Mumtaz. 'Zo heb ik niets aan je! Geen enkele man wil de liefde bedrijven met een wandelende dode.'

'Genade,' huilt Pushpa met haar handen smekend omhoog. 'Denk aan mijn kinderen.'

Mumtaz lacht spottend, maar dan beginnen haar ogen opeens te glimmen als nieuwe roepiemunten.

'Er is iets wat je zou kunnen doen,' zegt Mumtaz.

Pushpa kijkt verwachtingsvol omhoog.

'Verkoop haar aan mij.' Ze wijst naar de kleine Jeena, slapend op haar matrasje. 'Over een paar jaar, als ze oud genoeg is, kan ik veel geld voor haar krijgen.'

Pushpa schijnt het niet te begrijpen.

'Er zijn mannen die veel geld overhebben voor een maagdelijk meisje,' zegt Mumtaz. 'Mannen die denken dat het hun ziekte zal genezen.'

Ze legt een hand op Pushpa's tengere schouder en lacht.

Dan klinkt er een onaards geluid. Het is een wild geluid als van een dier, een klagende, sombere, woeste kreet, terwijl de zieke vrouw op de vloer naar de rokken van de dikke vrouw klauwt die zich over haar heen buigt.

Het is een geluid waarbij woorden tekortschieten.

HOE WANHOOP ERUITZIET

De rest van de middag zit Pushpa met het hoofd in de handen op haar bed. Shahanna probeert haar te troosten, maar Pushpa staart onbeweeglijk in het niets. Ten slotte staat ze op, dekt Jeena toe met een deken en fluistert in haar oor: 'Maak je geen zorgen. Ik laat die vrouw jou niet krijgen.'

Dan komt Harish thuis uit school, verhit en met zijn kleren in de war van zijn zogenaamde voetbalspel. Hij kijkt zijn moeder stralend aan, opgetogen dat ze uit bed is, maar zijn gezicht betrekt als hij ziet hoe ellendig ze eraan toe is.

Geen van tweeën zegt een woord. Harish haalt enkel zijn blikken koffertje onder het bed vandaan en de twee beginnen hun spullen te pakken.

EEN TE KLEIN WOORD

Ik kijk sprakeloos toe terwijl Harish zijn matrasje opbindt en Pushpa haar bezittingen – een haarborstel, een trui, een foto van haar echtgenoot – in Harish' koffertje legt.

Anita zit op het bed en klemt Jeena tegen haar borst, de twee kanten van haar arme scheve gezicht voor één keer gelijk in volstrekte ellende. Op het laatst geeft Anita de baby een kus op het hoofd, overhandigt haar aan Pushpa en rent snikkend de kamer uit.

Harish kijkt naar mij.
'Hoe gaat het met je, Lakshmi?' zegt hij.
De woorden zijn dezelfde als altijd, maar zijn kleine jongensstem breekt als hij mijn naam zegt.

Het gaat niet goed met mij. Ik kan niet doen alsof. Maar ik ken geen woord dat groot genoeg is voor mijn verdriet.
Ik bijt op mijn lip en haal mijn schouders op.

Harish kijkt weg en gaat verder met inpakken.

'Waar gaan jullie nu heen?' vraag ik.

'Ik vraag de onderwijzeres uit Amerika of zij een plek weet waar we kunnen blijven tot mijn moeder beter is,' zegt hij. 'Tot die tijd moet ik het geld verdienen.'
Hij legt zijn voddenvoetbal in het koffertje en sluit het deksel.

'Ik heb gehoord dat ze kinderen vijftig roepie per week betalen om stenen stuk te slaan aan de kant van de weg,' zegt hij.

Hij tilt de koffer op, zijn dunne armen spannen zich onder het gewicht, en ik vraag me af hoe lang die armpjes het stukslaan van stenen zullen volhouden.

Ik wijs naar het Amerikaanse verhalenboek dat hij heeft laten liggen.

'Vergeet dat niet.'

Hij brengt de koffer over naar zijn andere arm.

'Dat mag jij hebben,' zegt hij.

Harish loopt naar de deur, slepend met de koffer.

Alle woorden die hij me heeft geleerd, al die mooie woorden, dienen nu nergens toe.

Ten slotte herinner ik me er een, een woord dat antwoord geeft op de vraag die hij stelde – 'Hoe gaat het met je, Lakshmi?' – alsof het vandaag een dag was als alle andere.

'Harish,' zeg ik.

Hij kijkt me alleen maar aan.

'Sorry,' zeg ik. 'Ik voel me sorry vandaag.'

Dan is hij verdwenen.

HERHALING

'Lakshmi,' zeg ik tegen mezelf. 'Ik heet Lakshmi.'

Nu Harish weg is, zegt niemand mijn naam.

Dus zeg ik hem tegen mezelf. 'Ik heet Lakshmi,' herhaal ik.
'Ik kom uit Nepal.
Ik ben dertien jaar.'

Ik weet het niet zeker, maar ik denk dat er zoveel tijd voorbij is
dat ik veertien ben.

ALS ANITA

's Middags kijk ik nu tv met mijn hoofd op Shahanna's schouder.
Maar zonder Harish ben ik als Anita.
Ik kan niet lachen, ook niet als daar reden toe is.

IN PLAATS VAN HARISH

Monica komt vandaag naar mijn kamer met haar handen op haar rug.

'Zijn de anderen beneden?' fluistert ze.

Ik knik. Het is tijd voor *The Bold and the Beautiful*. De anderen lachen en juichen, terwijl ik boven op bed lig en me inbeeld dat Harish elk moment thuis kan komen om onze lessen te hervatten.

'Hier,' zegt ze. 'Pak aan.'
Ze gooit een haveloos grijs ding in mijn richting.

Ik inspecteer het behoedzaam en zie dat het een oude lappenpop is, zo vaak geknuffeld dat ze bijna onherkenbaar is. Haar kraalogen zijn verdwenen. Haar mond is nog een klein rood steekje. Haar jurk is dun en kleurloos.

'Jij mag haar een tijdje hebben,' zegt ze. 'In plaats van Harish, snap je?'

Ze zegt het zo snel dat haar woorden nauwelijks tot me doordringen.

Ik sta op om haar te bedanken, maar ze is al weg.

En op dat moment begrijp ik ineens dat Monica, de dorstige klimplant, Monica, het meisje met de trucs om de mannen extra te laten betalen, slaapt met deze haveloze lappenpop.

EEN VREEMDE KLANT

Ik heb nog nooit zo'n raar iemand gezien. Hij heeft het roze vel van een varken. Zijn haar heeft de kleur van stro. Zijn ogen zijn ijsblauw. En hij draagt een korte broek die zijn kromme harige benen bloot laat. Maar hij lijkt op een van de mensen in Harish' verhalenboek.

Deze roze Amerikaanse man is veel te vriendelijk. Hij grijpt mijn hand om me te begroeten, een vreemd en lomp gebaar waarvan ik terugschrik.

Hij zegt hallo in mijn taal.

Ik zeg niets terug.

'Hoe heet je?' vraagt hij.

Zijn woorden komen langzaam en onbeholpen, alsof hij zijn mond vol roti heeft.

'Je naam,' zegt hij weer, nu nog langzamer. 'Hoe heet je?'

Deze roze man is de eerste die hier vraagt hoe ik heet. Maar ik zeg het niet.

'Hoe oud ben je?'

Ik weet wat ik zou moeten zeggen. Maar iets weerhoudt me om te liegen tegen deze roze vreemdeling. Ik haal mijn schouders op.

Mijn lompheid raakt hem niet. Integendeel, hij lacht met vreemd warme ijsblauwe ogen.

'Word je hier tegen je wil vastgehouden?'

Mijn wil? Dat is iets wat ik al lang geleden ben kwijtgeraakt, wil ik tegen hem zeggen.

Ik wil die man met zijn roze vel met mijn vuisten slaan.

Ik wil spugen op deze vreemdeling met zijn ogen vol koel mede-lijden, op de idiote manier waarop hij mijn taal spreekt, en op zijn ongemanierde vragen die me dwingen de vernedering waar-uit mijn leven bestaat onder ogen te zien.

Ik sla mijn armen om me heen.

Hij haalt een boekje uit een van zijn zakken, zoekt iets op in de beduimelde bladzijden en kijkt me dan aan. Langzaam en zorg-vuldig stelt hij een vraag.

'Wil je hier weg?'

Ik heb van deze Amerikanen gehoord. Anita heeft me alles over hen verteld. Ik laat me niet wijsmaken dat ik hier weg kan; zeker om naakt uitgekleed te worden en mensen stenen naar me te laten gooien en me voor vieze vrouw te laten uitschelden.

Ik schud mijn hoofd.

'Je wilt hier niet weg?'

Ik staar hem alleen maar aan.

'Ik kan je meenemen naar een huis waar je nieuwe kleren krijgt,' zegt hij. 'En goed eten. En waar je niet met mannen hoeft te slapen.'

Ik doe alsof ik het niet begrijp. Wat ook zo is.

Ik begrijp niet hoe ik in dit nieuwe huis mijn schuld aan Mumtaz moet afbetalen.

'Wil je daar naartoe?'

Ik schud mijn hoofd.

'Het is een fatsoenlijk huis,' zegt hij.

Ik knipper niet eens met mijn ogen.

Hij haalt zijn portemonnee uit zijn jas. Ik verwacht een glimp op te vangen van zijn rijkdom, maar hij geeft me een wit kaartje. Het staat vol met Amerikaanse woorden die ik niet kan lezen en in het midden staat een tekening van een vliegende vogel.

Ik stop het kaartje in mijn onderrok.
Daarna is hij verdwenen.

Wat een vreemde man, die voor een meisje betaalt en alleen maar praat.

EEN KLEIN GEVAAR

Ik bestudeer het vreemde Amerikaanse kaartje. Er staan kleine woorden en getallen op gedrukt.

Het is maar klein, licht en dun, maar ik weet dat het me een pak slaag kan opleveren als Mumtaz of Shilpa het ziet.

Als ik het bij de vuilnis in de keuken stop, zien de anderen het. Als ik het uit het raam gooi, ziet Mumtaz het misschien.

En dus verstop ik dit gevaarlijke kaartje onder de vloermat. Tot ik een betere manier weet om ervan af te komen.

Daarna loop ik terug naar beneden en probeer die vreemde bezoeker uit mijn hoofd te zetten.

EEN GEHEIM

Er is een moment tussen licht en donker dat de geur van gebakken uien door de ramen naar binnen waait. In de hele stad zijn de mensen begonnen het eten klaar te maken. Het is de droevigste geur van de wereld omdat hij betekent dat hier in Mumtaz' huis de mannen zullen arriveren.

Ik kijk uit het raam en snak met mijn hele wezen naar die geur als Shahanna binnenkomt.

'Shahanna,' zeg ik. 'Kun je een geheim bewaren?'

Ze kijkt om zich heen om er zeker van te zijn dat we alleen zijn en knikt.
'Ik had een paar dagen geleden een Amerikaanse klant,' zeg ik.
'Hij zei dat hij me hier weg zou halen.'

Shahanna komt een stap dichterbij, haar donkere ogen dichtgeknepen tot spleetjes van achterdocht.

'Zei hij dat hij jouw schuld aan Mumtaz zou afbetalen?'

Ik schud mijn hoofd.

'Hoe zou je dan aan haar goonda's kunnen ontsnappen?'

'Weet ik niet,' zeg ik.

'Je weet wat Anita zegt,' fluistert ze. 'Ze zegt dat de Amerikanen je voor de gek houden en je te schande zetten en je naakt over straat laten lopen.'

Ik knik. Ik overweeg of ik haar zal vertellen wat hij zei over het fatsoenlijke huis, over de nieuwe kleren die hij beloofde. 'Misschien heeft Anita het mis,' zeg ik.

Shahanna kijkt uit het raam naar de straat beneden. 'Maar Anita is de enige van ons die daarbuiten is geweest,' zegt ze.

We zijn alle twee even stil, en kijken naar de wereld buiten die onder onze tralies voorbijtrekt.

Dan grijpt Shahanna mijn handen. 'Als hij terugkomt, ga je dan mee?' vraagt ze.

Ik weet niet wat ik moet zeggen.

Ze knijpt hard in mijn handen, en haar ogen branden met een hartstocht die ik daarvoor nooit gezien heb bij mijn zachtaardige vriendin. 'Neem je mij dan mee?'

Ik doe een stap achteruit. Vanaf de eerste dag dat ik hier kwam, is Shahanna alleen maar aardig voor me geweest. Ze heeft me alles geleerd wat ik moest weten om hier te overleven. Maar nu schrikt ze me af met deze wilde manier van praten.

Ik ben bang. Bang dat Mumtaz ons bewusteloos zal slaan. En bang dat de Amerikanen ons te schande zullen zetten en ons op straat aan ons lot zullen overlaten.

Maar het meest van al ben ik bang bij de gedachte aan een leven buiten dit huis.

STROOMSTORING

Nu de droge, hete maanden zijn begonnen, zijn er nachten waarop de hele stad donker wordt. De elektrische lichten gaan uit, de muziekmachine valt stil, de varenbladmachine stopt met draaien en even is de hele stad stil.

Het voelt als het einde van de wereld.

Was het maar waar.

GEEN GENEESMIDDEL

Vandaag stop ik Monica's kleine lappenpop onder mijn jurk en sluip de gang door om hem terug te geven, maar als ik de hoek om kom, word ik betrapt door Shilpa.

'Je hoeft je vriendin niet te zoeken,' zegt ze. 'Ze staat op straat.'

Haar woorden klinken dik en stroperig, zoals wanneer ze van de alcohol heeft gedronken die de straatjongen haar verkoopt. Ik vraag me af of ik het verkeerd heb verstaan. Ik ren naar het raam en kijk de straat op. Daar is de gebruikelijke mengelmoes aan straatventers, schoolkinderen die tegen een bal schoppen, een politieagent die een sigaret rookt. Maar geen Monica.

'Waar is ze?' vraag ik.

Shilpa haalt haar schouders op. 'Mumtaz heeft niets meer aan haar.'

'Waarom niet?' vraag ik. 'Monica verdiende toch goed?'

'Wist je dat niet?' zegt ze. 'Ze heeft de virusziekte.'

In deze stad zijn er veel ziektes en veel geneesmiddelen. Voor de koorts-en-rillingenziekte zijn er witte pilletjes. Voor de hoestziekte is er een speciale thee. Voor de jeukende en krabbende ziekte is er een goudkleurige zalf. Voor de brandende pijn in je liezen is er een injectie van de vuilehandendokter.

Maar voor de virusziekte bestaat geen geneesmiddel.

DE STRAATJONGEN

Ik houd de straatjongen al een tijdje in de gaten. Ik koop nog steeds geen thee van hem, maar als hij komt, vlucht ik niet meer de kamer uit.

Ik weet dat hij Anita haar thee geeft ook al heeft ze het geld pas de volgende dag. Ik weet dat hij extra suiker in de thee van de kokkin doet in ruil voor een oude korst brood. En ik weet dat hij Mumtaz soms te slim af is met het wisselgeld als ze niet oplet.

Elke dag hoor ik hem aankomen door het geluid van zijn theekopjes, die rammelen in zijn wagentje als hij bij de keukendeur arriveert. En elke dag als hij bij onze kamer komt, draai ik me om zodat ik niet in de verleiding kom om ook maar een enkele roepie uit te geven aan een luxe waarvan ik heb geleerd dat ik zonder kan.

Vandaag ben ik alleen als hij komt. Hij steekt een kop thee in mijn richting. De dag is koud en zijn thee is warm en geurig, maar ik doe alsof ik het niet merk.

Hij tilt het kopje naar zijn lippen en doet alsof hij drinkt. 'Een kopje thee voor jou vandaag?' vraagt hij. Zijn bruine ogen zijn donker als die van Tali.

Ik schud van nee.

Hij laat zijn hoofd zakken en schuurt met zijn ene blote voet over de andere. Het lijkt of hij nog wat wil zeggen, maar ik draai me om, de hele tijd denkend aan zijn thee, aan hoe goed die zou smaken, hoe de kop mijn handen zou warmen, mijn keel, mijn hele lijf. Het volgende moment is hij verdwenen, met de kopjes ratelend en rinkelend op zijn wagentje als hij de gang weer uit rijdt.

OVERVAL

Dit is wat ik me herinner:

Het was halverwege de middag. Shahanna zat boven haar nagels te lakken. Mumtaz was uit om zich een nieuwe sari te laten aanmeten en Anita en ik zaten met de andere meisjes in de tv-kamer, toen er een donderend geluid klonk bij de voordeur. Een mannenstem riep: 'Doe open!'

De goonda bij de voordeur, een magere jongen die Mumtaz een paar dagen geleden had ingehuurd, sprong overeind en spurtte naar de achterdeur. De meisjes schoten van hun stoelen en stoven als kakkerlakken alle kanten op. Ik kon me niet bewegen.

Anita holde naar de keuken, maar toen ze me stokstijf zag zitten, kwam ze terug, greep me bij mijn pols en trok me mee. De kokkin verwachtte ons en hield een paneel onder het aanrecht open. Anita kroop als eerste naar binnen en trok me toen achter zich aan.

In de kleine donkere ruimte was er nauwelijks genoeg plaats voor één meisje, laat staan twee, en toen de deur eenmaal dicht was, zaten we daar opeengepakt tussen de buizen, lappen en emmers en hielden onze adem in.

Algauw hoorden we geschreeuw. Mannenstemmen kwamen dichterbij. Zware voetstappen kwamen de gang door in onze richting, en vervolgens de keuken in. Een man schreeuwde naar de kokkin. Ze schold hem uit.

Kastdeuren werden opengegooid en weer dichtgesmeten. Er klonk geluid van vallende rijst, een pan die tegen de vloer kletterde, de kokkin die krijste en met haar voeten stampte.

De voetstappen kwamen dichtbij, toen nog dichterbij, en hielden stil.

Anita vond mijn hand en we hielden elkaar stevig vast.

Toen kwamen er boze stemmen van boven. Ik kon tafels en stoelen horen omvallen, hout dat versplinterde, een man die schreeuwde, een vrouw die huilde.

Er klonk een wilde roffel van voetstappen, daarna geren. En het volgende moment liepen de mannen bij de plek vandaan waar wij verstopt zaten.

Er volgde een zware klap, een dreun, en toen was het stil.

Daarna konden we alleen gemompel en het geschuifel van voeten horen. Uiteindelijk sloeg de voordeur dicht.

Toen het eindelijk stil was, kwam de kokkin het kastje opendoen. Ik klom eruit, maar Anita weigerde zich te verroeren. Toen ze eindelijk naar buiten kroop, kon ik zien dat ze in haar broek had geplast.

Dit is wat ik daarna zag: rijst en linzen, bloem en kruiden, genoeg eten voor een week uitgestrooid over de vloer, en een stel ratten die aan de buit knabbelden terwijl de kokkin met hen vocht om wat er nog over was. In de kamer daarnaast was de tv op de grond gesmeten, het toverraam lag in honderd glasscherven.

Ik rende naar boven, onze kamer was overhoop gehaald, de bedden omvergekanteld en Anita's filmsterplaten van de muur gerukt.

Het ergste was wat ik niet zag: Shahanna.

DE NASLEEP

Wanneer alle andere meisjes uit hun schuilplaats komen en de meisjes die de straat op zijn gelopen terugkeren, kruipen we allemaal bij elkaar in de tv-kamer. De kokkin rent naar de sari-winkel om Mumtaz te zoeken.

'Ik wed dat het de Amerikanen waren,' fluistert Anita.

Shilpa spuugt op de grond. 'Waarschijnlijk was het de politie. Soms nemen ze een meisje mee als Mumtaz achter is met betalen.'

Ik slik en zeg niets.

Mumtaz stormt de tv-kamer binnen, haar bolle mangogezicht nat van het zweet.

'Aan het werk, stelletje luie hoeren,' zegt ze.

Als niemand zich verroert, geeft ze Shilpa een zet; die valt op de vloer, bijna in een hoop glasscherven.

'Ruim die rommel op!' schreeuwt Mumtaz. 'Zodat we vanavond weer aan het werk kunnen.'

Ze zegt niets over Shahanna.
En als ik het durf te vragen, komt het enige antwoord van haar leren riem.

RODDEL

De volgende morgen aan het ontbijt zegt Anita dat het Amerikanen waren die Shahanna hebben meegenomen. De pindaverkoper zegt dat hij alles heeft gezien. Hij heeft het aan de kokkin verteld, en die aan Anita.

'Ze hebben haar waarschijnlijk naakt uitgekleed en in de goot achtergelaten,' zegt ze.

Shilpa zegt dat het de politie was. Een politieagent die tot haar vaste klanten behoort, vertelde haar dat het was omdat Mumtaz deze maand niet heeft betaald.

'Ze hebben haar waarschijnlijk geslagen en voor dood achtergelaten,' zegt ze.

Ik verdraag het niet dat ze zo over mijn arme, goede vriendin praten en daarom sta ik op en ga van tafel. Het laatste wat ik hoor, is dat een van hen zegt dat we de waarheid wel nooit te weten zullen komen.

Ik ga naar boven naar mijn kamer, ga op mijn bed liggen en trek de dunne deken over mijn hoofd, omdat ik in elk geval één ding zeker weet: als deze verschrikkelijke dingen met Shahanna zijn gebeurd, is het allemaal mijn schuld.

ROERLOOS

Nu Shahanna weg is, moeten we, naast onze eigen klanten, ook die van haar bedienen, zegt Mumtaz.

Ik zeg dat ik ziek ben, maar in werkelijkheid is het enige wat ik doe in bed liggen en Harish' mooie Amerikaanse verhalenboek steeds opnieuw lezen.

En daarom stuurt Mumtaz de mannen naar boven. Ze komen in een lange stoet, en ik lig hier maar en verroer geen vin.

VANDAAG

Terwijl ik vanmiddag in bed lig, zie ik een rat uit het latrinegat kruipen. Hij klauwt zich langs het laken een weg naar boven en scharrelt dan in de richting van de broodkorst die Anita op mijn kussen moet hebben achtergelaten.

We kijken elkaar even aan. Dan rent hij weg, met mijn ontbijt tussen zijn tanden.

ALLES WAT IK NOG HEB

Anita zegt dat Mumtaz me aan een ander bordeel gaat verkopen. Haar scheve gezicht is nat van tranen. Ze zegt dat ik tegen het vallen van de avond vertrokken zal zijn als ik nu niet opsta en bij de andere meisjes ga zitten.

'Alsjeblieft,' smeekt ze.

Het enige wat ik wil, is op bed liggen en de mooie Amerikaanse woorden uit Harish' boek herhalen, ze steeds weer opnieuw zeggen tot ze uitlopen in een monotoon gezang dat alle andere gedachten op afstand houdt.

Ik voel hoe Anita aan mijn schouders rukt en zie haar mond bewegen in wanhopige smeekbeden.

Maar haar stem is ver weg.

Plotseling klinkt er een klap.

Ik hoor hem meer dan ik hem voel. Dan word ik me vaag bewust van een stekende pijn op mijn wang. En ik realiseer me dat Anita me geslagen heeft.

Ik ga overeind zitten alsof ik uit een lange slaap wakker word, en zie dat arme meisje met het scheve gezicht. Ze is alles wat ik nog op de wereld heb.

Ik kom bibberig mijn bed uit, terwijl Anita me op de been helpt. Ze legt haar arm om mijn middel en leidt me naar de spiegel. Dan haalt ze haar make-upborsteltjes en lipkleuren tevoorschijn en maakt mijn gezicht zo voorzichtig op dat ik denk dat mijn hart zal breken.

EEN SCHUILPLAATS

De volgende dag hoor ik, terwijl ik de gang door loop, een stem uit de kast. 'Psst, Lakshmi,' zegt iemand.

'Hierbinnen.'

Ik sta stil, doe de deur open en zie Anita in de ondiepe kast, met haar lichaam plat tegen de muur gedrukt.

'De volgende keer dat er een overval is,' zegt ze, 'verstop ik me hier.'

'Maar, Anita,' zeg ik, 'iedereen kan die deur openmaken.'

Ze houdt een metalen slot omhoog met nummers erop.

'Dit heb ik gestolen,' zegt ze met een halve lach op haar scheve gezicht, 'van de graankist.'

Ik begrijp het niet. Tot ze naar een beugel wijst aan de binnenkant van de deur.

'We kunnen onszelf insluiten,' zegt ze. 'Dan kan niemand deze deur openmaken.'

NOG EEN AMERIKAAN

Deze ziet er wat verloren uit als hij aan de deur komt. Hij is niet zo groot als de eerste en zijn ogen en haar zijn zo donker als van een gewone man, maar mijn hart bonst als hij naar mij wijst en me de trap op volgt naar boven.

Ik wacht tot hij mijn hand schudt, maar hij kijkt alleen maar de kamer rond. Ik wacht tot hij vraagt of ik naar het fatsoenlijke huis wil, maar hij rommelt in zijn broekzakken en mompelt iets in een taal die ik niet begrijp.

Ik weet wat me te doen staat. Ik licht de punt van de vloermat op en tast naar het witte kaartje dat de andere Amerikaan me gaf. Ik reik het hem aan.

Hij lijkt in de war. Hij gaat op het bed zitten. Hij pakt mijn vlecht en trekt me over zich heen terwijl het witte kaartje op de grond dwarrelt.

Pas op dat moment zie ik de rode adertjes in zijn ogen en ruik ik de alcohol in zijn adem.

Hij is geen goede Amerikaan. Hij is gewoon een dronkenlap.

BEREKENINGEN

Shahanna is meer dan twee weken weg.
Er slaapt een nieuw meisje in haar bed, maar ik schenk haar
geen aandacht.
Het enige waar ik om geef, is mijn schrift met cijfers.

Ik bestudeer aandachtig al mijn zorgvuldig bijgehouden
aantekeningen:
het geld dat ik heb verdiend
en het geld dat ik aan Mumtaz heb betaald,
voor make-up,
voor nagelverf,
voor de bedorven rijst waaruit mijn dagelijkse maal bestaat,
voor mijn bed,
voor de bezoeken van de vuilehandendokter.

Vandaag zal ik haar mijn sommen laten zien, de bedragen die ik
over en weer heb gecontroleerd, de getallen die vertellen dat ik
mijn schuld volgend jaar rond deze tijd zal hebben afbetaald.

GEWOON EEN KOP THEE

De straatjongen staat vandaag weer in mijn deur. Weer reikt hij me een kop thee aan. En weer schud ik mijn hoofd van nee.

Ik ga terug naar mijn schrift met de cijfers en wacht tot hij weg-gaat. Maar hij loopt de kamer in, zet de thee op het tafeltje naast mijn bed en verdwijnt zonder een woord te zeggen.

EEN HERBEREKENING

Het is tegen de regels om Mumtaz aan te spreken. Shilpa voert het woord voor haar. Maar ik sta voor de kamer waar Mumtaz haar geld telt. En wacht.

Ik klop op de deurpost.

'Shilpa? Ellendige meid, kom als de bliksem hier,' zegt ze.

Ik schuif het gordijn opzij en ga haar verduisterde kamer binnen.

Ze kijkt verbaasd op. Ik zeg niets. Ik geef haar enkel mijn rekenschrift.

Ze bestudeert het, kijkt even naar mij en dan weer naar mijn berekeningen.

'Je bent een slimme meid,' zegt ze.

Ik bijt op mijn lip.

'Maar je vergeet een paar dingen.'

Ze haalt haar eigen rekenschrift tevoorschijn, met veel uitgebreidere aantekeningen dan de mijne.

'Het medicijn dat je van me hebt gekregen,' zegt ze, terwijl ze aan de punt van haar potlood likt.
'Je kleren...
De schoenen aan je voeten...
De rekening voor de elektriciteit.'

Ze gebaart naar het plafond, waar de windmaker dof reutelt.
'Wie denk je dat er voor alle luxe betaalt die ik jullie verschaf?'
zegt ze.
'De ventilators? De muziek? De tv waar jullie meiden zo dol op
zijn?
Denk je soms dat dat allemaal niets kost?'

Ik bijt op mijn wang.

'En dan heb je de rente nog,' zegt ze.
'Je denkt toch niet dat ik dat geld voor niks aan je familie
heb gegeven, wel?'

Ik graaf mijn nagels in mijn handpalm.

'Natuurlijk niet!' roept ze. 'Ik bereken half zoveel aan rente.'

Ik knipper de tranen terug die in mijn ogen opwellen.

'Je bent een slimme meid, maar ook weer niet zo slim,' zegt ze.

Ik staar haar alleen maar aan.

'Laat mij het eens voor je uitrekenen,' zegt ze.
Ze doet alsof ze optelt en aftrekt.
'Ja,' zegt ze. 'Precies wat ik dacht. Je hebt nog minstens vijf jaar
te gaan hier bij mij.'

ALLE MANNEN, IEDERE MAN

Hier in Huize Geluk
zijn er vieze mannen,
oude mannen,
ruwe mannen,
dikke mannen,
dronken mannen,
zieke mannen.

Ik neem ze allemaal.

Alle mannen, iedere man.

Ik word Monica.

Ik zal alles doen
om hier weg te komen.

WAT DAN OOK

Ik heb nu een vaste klant.
Hij laat me iets smerigs doen, maar hij geeft me tien roepie extra.

Gisteren had ik een dronken klant. Toen hij daarna in slaap viel, heb ik in zijn portemonnee gekeken en mezelf aan twintig roepie extra geholpen.

Gisteren kwam er een mismaakte man aan de deur. Ik zei dat ik voor vijftig roepie extra met hem zou slapen.

EEN WAARSCHUWING

Het is nog maar halverwege de morgen, lang voor de klanten meestal komen, maar aan de deur staat een rijke man met mooie kleren en een blinkend gouden horloge. Voor de anderen is het te vroeg om op te zijn, dus ga ik naar hem toe en vraag of hij met mij wil slapen.

Hij neemt me op.

Ik zeg dat ik hem gelukkig zal maken.

Hij overweegt mijn aanbod als Shilpa binnenkomt en me opzij duwt. Haar ogen staan wijd open en knipperen niet één keer, zoals wanneer ze gedronken heeft. Ze noemt de man bij zijn naam en slaat haar armen om zijn dikke middel. Daarna gaan de twee samen naar haar kamer.

Later, als ze klaar zijn, komt ze mijn kamer binnen. 'Je blijft van hem af, begrepen?'

Ik begrijp dat deze rijke man een van haar vaste klanten is. Maar ik zal niet doen wat ze vraagt. Ik zal alles doen wat nodig is om hier weg te komen. Ik haal mijn schouders op.

'Blijf af van de mannen die van mij zijn, heb je me verstaan?' zegt ze.

Vroeger was ik bang voor Shilpa, maar ik kijk haar recht aan. 'Nee,' zeg ik.

'Niet als het een paar extra roepie oplevert voor wat ik Mumtaz schuldig ben.'

Ze spuugt op de grond. 'Stomme berggriet,' zegt ze. 'Geloof je echt wat ze je heeft verteld?'

Ja. Ik moet wel.

EEN MONSTER

Vandaag is er een nieuw meisje aangekomen. Dat weet ik omdat ik door de deur van de afgesloten kamer haar gesnik hoorde toen ik daarlangs kwam op weg naar de keuken.

Mumtaz is een monster, zeg ik bij mezelf. Alleen een monster is in staat om te doen wat zij onschuldige meisjes aandoet.

Maar ik begin me iets af te vragen. Als het huilen van een jong meisje voor mij hetzelfde is als het geblèr van de toeters in de straat beneden, wat ben ik dan voor iemand geworden?

DE TIJD DOORKOMEN

Op sommige dagen is de tijd tussen wakker worden en de tijd dat de klanten komen zo lang en saai en vervelend dat ik alleen maar in bed naar het draaien van de varenbladmachine kan liggen kijken.

Het zijn de dagen waarop ik Shilpa en haar liefde voor alcohol begrijp.

En daarom doe ik vandaag niet alsof ik de straatjongen niet kan ontvangen als hij komt. Ik kijk naar zijn wagentje en wijs naar de fles die hij voor Shilpa heeft meegebracht.

Hij schudt zijn hoofd. 'Dat is slecht spul,' zegt hij in mijn taal. 'Als je er eenmaal aan begint, kun je niet stoppen.'

'Wat kan jou dat nou schelen?' zeg ik.

Hij kijkt omlaag, friemelt een beetje aan zijn winkelwagentje en kijkt dan weer naar mij, zijn donkerbruine ogen net zo wijd en zonder te knipperen opengesperd als die van Tali. Dan pakt hij een kop thee van het wagentje en reikt me die aan. 'Neem dit maar in de plaats,' zegt hij.

Ik schud mijn hoofd.

Hij draait zich om om weg te gaan, maar blijft dan staan. 'Ik kan andere dingen voor je meenemen,' zegt hij. 'Ik kan taartjes voor je meenemen.'

Ik zucht en probeer me de tijd te herinneren dat ik blij werd van een taartje. Ik draai mijn gezicht naar de muur. Hij vertrekt stilletjes, maar door de geur die de kamer vult, weet ik dat hij weer een kop thee voor me heeft achtergelaten.

ARGWAAN

Shilpa komt langs mijn kamer met haar goudenhorlogeklant en ik probeer me te herinneren wat ze onlangs zei toen ze me waarschuwde van hem af te blijven.

Toen ik zei dat ik alles zou doen wat ik kon om mijn schuld aan Mumtaz af te betalen, zei ze dat ik dom was. Nu weet ik weer wat ze zei: 'Geloof je echt wat ze je heeft verteld?'

Ik vraag me af wat ze daarmee bedoelde.

Shilpa is Mumtaz' spion. Zij is degene die de deur naar haar telkamer bewaakt. Zij is degene die Mumtaz' geheimen schijnt te kennen.

Ik heb Mumtaz' rekenschrift gezien; ik weet hoe ze me heeft bedrogen. Maar ik vraag me af of Shilpa iets weet wat ik niet weet.

EEN COCA-COLA

De straatjongen komt vandaag weer aan mijn deur. Hij heeft een flesje Coca-Cola in zijn hand.

'Voor jou,' zegt hij.

Ik ben nieuwsgierig naar die drank. De mensen die het op tv drinken, vinden het lekker als de kleine vuurwerkjes afgaan in hun mond.

'Ik heb geen geld,' zeg ik.

'Geeft niet,' zegt hij.

Ik bekijk hem een beetje argwanend. 'Waarom geef je dit aan mij?'

Hij haalt zijn schouders op.

'En waarom geef je me thee zonder er iets voor terug te willen?'

Hij schopt met zijn ene blote voet tegen de andere. 'We zijn alle twee alleen in deze stad,' zegt hij. 'Dat is toch reden genoeg?'

Hij wacht mijn antwoord niet af. Hij haalt de dop eraf en de fles sist naar ons als een boze slang. Ik deins achteruit tot het sissen ophoudt. Dan pak ik de fles van hem aan en breng hem aan mijn mond. Kleine belletjes – zo klein dat je ze niet kunt zien – glippen heimelijk uit de fles en kietelen mijn neus. Ik denk dat ik moet niezen, maar er gebeurt niets. Ik neem een slokje. Het is waar! Er gaan wel tien kleine vuurwerkjes af op mijn tong. Onwillekeurig moet ik lachen.

De jongen lacht ook.

Dan roept Shilpa hem vanachter uit de gang. 'Hier komen, lui joch,' roept ze.

Hij draait zich om om weg te gaan. 'Ik kan andere dingen voor je meenemen, weet je dat, waar je ook maar zin in hebt,' zegt hij. 'Ik ken iedereen in deze stad.'

Ik heb geen behoefte aan andere dingen, wil ik tegen hem zeggen. Dit kleine geschenk is meer dan genoeg.

EEN SCHULD AFBETALEN

Vandaag verschijnt de straatjongen laat. Met neergeslagen ogen rent hij haastig mijn deur voorbij. Ik roep hem en hij gluurt om de deurpost. Hij heeft een snee op zijn voorhoofd en een blauw opgezwollen wang.

'Wat is er gebeurd?' vraag ik.

'Mijn baas,' zegt hij, terwijl hij voorzichtig zijn gezicht betast.

Ik vraag waarom zijn baas zoiets zou doen. 'Als ik niet genoeg geld vang voor de drank,' zegt hij, 'dan reageert hij dat soms op mij af.'

We zijn alle twee even stil. Op hetzelfde moment dat ik mijn mond opendoe om te zeggen dat het me spijt, doet hij zijn mond open om te zeggen dat het niets uitmaakt, en dan zwijgen we weer.

Hij draait zich om om te vertrekken, en ik zie dat zijn kleren versleten en niet meer dan vodden zijn.

'Kom morgen terug,' zeg ik

Hij kijkt onzeker.

Maar ik vertel hem niet dat ik voor deze ene keer besloten heb om van Mumtaz te lenen, zodat hij morgen niet met lege handen bij zijn baas hoeft aan te komen.

EEN ONTHULLING

Als ik bij de telkamer kom, is daar alleen Shilpa. Ik zeg dat ik veertig roepie wil lenen.

Ze spuugt op de grond. 'Je bent nog stommer dan ik dacht.'

Het kan me niet schelen wat deze dronken vrouw van mij denkt. Ik wil alleen maar genoeg om de straatjongen te betalen wat ik hem schuldig ben. 'Wat kan jou dat schelen?' vraag ik. 'Het is mijn geld. Mijn familie zal die paar roepie niet missen.'

Ze lacht. 'Denk jij dat het geld naar je familie gaat?' zegt ze.

Ik zeg tegen mezelf dat ze onzin praat, de onzin die ze uitslaat als ze dronken is.

'Bimla heeft je familie misschien een klein bedrag gegeven toen je thuis wegging,' zegt ze. 'Maar de rest – het geld van de klanten – gaat naar Mumtaz. Je familie krijgt nooit een enkele roepie te zien.'

Ik doe mijn handen over mijn oren, maar ik kan nog steeds horen wat ze zegt.

'Je betaalt je schuld nooit af,' zegt ze. 'Mumtaz zal je laten werken tot je te ziek bent om haar geld op te leveren. En dan zet ze je op straat.'

Ik doe mijn ogen dicht en schud mijn hoofd heen en weer. Ze heeft het mis. Want als ze gelijk heeft, is alles wat ik hier gedaan heb en alles wat mij is aangedaan voor niets geweest.

EEN VREEMD SOORT MISSELIJKHEID

Het is drie dagen geleden dat ik van Shilpa de waarheid te horen heb gekregen. Ik ben meteen naar mijn kamer gerend, waar ik de hele dag en nacht moest overgeven. Nog twee dagen ben ik in bed gebleven, te beroerd om me te verroeren. Maar afgelopen avond ben ik opgestaan, deed mijn make-up op en ging weer aan het werk.

En vandaag, als de straatjongen komt, sta ik klaar.

Vandaag zal ik hem vragen of het echt waar is dat hij iedereen in deze stad kent. En vandaag zal ik hem het witte Amerikaanse kaartje met de vliegende vogel erop laten zien.

DWAASHEID

De straatjongen staat in de keuken en alle meisjes staan om hem heen. Hij zegt dat vandaag zijn laatste dag is.

'De baas geeft mijn route aan een nieuwe jongen,' zegt hij, terwijl hij zijn schouders ophaalt.

De andere meisjes kietelen en zoenen hem en zeggen dat ze hem zullen missen. De kokkin maakt zijn haar in de war en schuift hem vervolgens een stuk vers brood toe. Anita haalt een roepie-biljet uit haar onderrok, drukt het in zijn hand en zegt hem gedag.

Shilpa vraagt of de nieuwe jongen haar zal brengen wat zij nodig heeft.

Ik kijk hem wanhopig aan. Hij zegt dat ik er niet over in moet zitten, dat het niet mijn schuld is.

Hij loopt naar de keukendeur. Mijn hart bonst zo luid dat ik bang ben dat het uit mijn borst zal springen. Ik denk niet na. Ik ren naar hem toe en sla mijn armen om hem heen.

De anderen kakelen en roepen.

'Stomme griet,' zegt Shilpa. 'Ze is zeker verliefd op hem.'

Het kan me niet schelen dat ze denkt dat ik verliefd op hem ben. Het kan me niet schelen dat ze denkt dat ik een dwaas ben. Omdat ik hem niet enkel omhelsd heb. Ik heb iets in zijn oor ge-fluisterd en hem onopvallend het vliegendevogelkaartje toegestopt.

WACHTEN

Er is meer dan een week voorbij sinds ik de straatjongen het vliegendevogelkaartje gaf. Elke dag komt de nieuwe jongen in zijn plaats. De nieuwe jongen is sloom en nors. Hij maakt met niemand grapjes, en weigert om ook maar een theekopje af te geven zonder dat hij eerst geld vangt.

Ik vraag of hij de jongen wel eens ziet die ons vroeger thee bracht. 'Wie?' vraagt hij.

Dan besef ik dat ik niet eens zijn naam weet.

GEEN NIEUW MEISJE MEER

Tijdens het eten kijk ik de tafel rond. Er is een stel nieuwe meisjes. Eentje zit te sniffen boven haar rijst met bonen, het andere is te versuft om te eten. Een derde meisje, dat hier al langer is, veegt haar bord schoon met haar brood.

De eerste zit op Monica's oude plek, de tweede op die van Shahanna. De derde zit waar Pushpa altijd zat.

Ik bedenk dat, met uitzondering van Anita, ik hier het langst ben.

HOESTEN

Midden in de nacht word ik wakker van een bekend geluid.
Het is het droge hoesten van iemand met de hoestziekte.
Maar het duurde even voor ik besefte dat Pushpa al lang weg
was. En nog een tijdje voor ik besef dat het deze keer Anita is.

DIGITALE TOVERIJ

Het is nog maar middag, maar er is al een klant aan de deur. Ik zie meteen dat het een Amerikaan is. Het is niet dezelfde als die me het vliegendevogelkaartje gaf; deze is groter, en heeft een jas aan met heel veel zakken. Ik kruip weg achter de deurpost; elke dag heb ik gebeden om een Amerikaan.

Nu er een is, weet ik niet wat ik moet doen. Ik hoor een geluid uit de telkamer en zie dat Shilpa staat te kijken. Dus ga ik als een dorstige klimplant op de man af. Ik vertel hem dat ik hem gelukkig zal maken, ik zeg dat ik een paar goede kunstjes weet.

Shilpa keert terug naar haar filmtijdschrift, en de man volgt me de trap op.

Als we in mijn kamer komen, grijpt hij mijn hand om me te begroeten, op dezelfde lompe manier als de eerste Amerikaan. Ik trek me terug.

Hij zegt hallo in mijn taal. Ik zeg niets terug.

'Hoe heet je?' vraagt hij. Zijn woorden klinken gehaast, en hij kijkt zenuwachtig over zijn schouder.

'Je naam,' zegt hij weer. 'Hoe heet je?'

Ik krijg mijn mond niet open.

'Hoe oud ben je?'

Ik geef geen antwoord.

Hij zucht. 'Mag ik een foto van je nemen?' vraagt hij. Hij haalt een kleine zilveren doos uit een van zijn zakken. Hij drukt op een knop, en het oog van de doos knipt snorrend open.

Ik vind die kijkdoos niet prettig, maar ik protesteer niet.

'Ik zal het niet aan de dikke vrouw vertellen,' zegt hij. 'Dat beloof ik je.'

Er springt een klein lichtje uit de doos, het oog knipt dicht. En even zie ik de man dubbel en driedubbel, omlijst door een rode gloed. Hij lacht en kijkt op de achterkant van zijn kleine bliksemdoos.

'Kom naar je foto kijken,' zegt hij.

Ik doe een stap in zijn richting en wacht. Hij houdt de kleine zilveren doos op en ik zie een kleine versie van mezelf – kleiner dan de mensen op tv – in een kleine tv achter op de zilveren doos.

'Digitaal,' zegt hij.

Ik ken dat woord niet, maar het is vast de naam voor deze vreemde Amerikaanse toverkracht, waarmee hij mij in zijn zilveren doos kan stoppen.

'Wil je hier weg?' vraagt hij.

Ik kan geen antwoord geven.

Hoe weet ik of hij een goede man is?

Wat als hij net is als de dronken Amerikaan?

Wat als hij net is als de Amerikanen waar Anita het over heeft, die jonge meisjes naakt over straat laten lopen?

'Ik kan je naar een fatsoenlijk huis brengen,' zegt hij.

'Kijk,' zegt hij.

'Foto's. Van het tehuis. Van de andere meisjes.'

Hij houdt zijn hand met de zilveren doos in mijn richting zodat ik de kleine tv achterop kan zien.

Hij drukt op een knop.

Er verschijnt een klein plaatje van een Nepalese vrouw die naar me lacht.

Hij drukt weer op de knop.

Er verschijnen meisjes in schooluniform die achter een lessenaar zitten.

Meisjes die water halen aan een bron.

De man zet zijn digitale tovermachine uit. Plotseling ben ik bang dat hij zal weggaan. Ik wou dat er een manier was om iets te zeggen, om deze Amerikaan nog een poosje hier te houden.

Ik zoek onder mijn bed en haal het Amerikaanse verhalenboek tevoorschijn dat ik van Harish heb gekregen. Ik steek het in de richting van de Amerikaan.

Hij houdt zijn hoofd schuin, in de war.

Ik wijs naar een plaatje. 'Elmo,' zeg ik.

Hij knikt traag.

'IJsje,' zeg ik.

'Ja,' zegt hij. 'Heel goed.'

'Amerika.'

De man lacht.

Zonder het te willen, lach ik naar deze raar uitziende man, lach en huiver bij de toverkracht – niet die van zijn digitale plaatjes-makende doos, maar van een handvol onzinwoorden om hem nog wat langer hier te houden.

GELOVEN

De Amerikaanse man fluistert. Nu hij uit een beduimeld Nepalees woordenboek opleest, is de manier waarop hij mijn taal spreekt gehaast. Ik zie dat het de afbeelding van de vliegende vogel voorop heeft, en ik zeg een stil dankgebed aan de straatjongen wiens naam ik nooit zal weten.

'Wat de dikke vrouw jou hier aandoet is slecht,' zegt hij.
'Heel slecht.'

Ik knik.

'Ze kan je niet dwingen om die dingen te doen,' zegt hij.

Deze Amerikaan heeft toch niet zoveel toverkracht,
concludeer ik.
Hij weet niets van Mumtaz' leren riem.
En van de goonda's.
En van de ketting op de deur.

'Ik kom terug om je te halen,' zegt hij. 'Ik kom terug met andere mannen, goede mannen, van dit land – vaders en ooms die willen helpen –, politiemannen die geen vrienden van Mumtaz zijn.
We zullen je hier weghalen.'

Dat is te mooi om te geloven.

'Je moet me geloven,' zegt hij.

Ik doe mijn ogen stijf dicht. Ik weet niet wat ik moet geloven. Ik geloofde dat de vreemdelinge in de jurk van gele gevlamde zijde me naar de stad bracht om als dienstmeisje te werken. Ik geloofde dat oom echtgenoot me zou beschermen tegen de slechte stadsmensen. Ik geloofde dat, als ik hier in Huize Geluk maar hard genoeg zou werken, ik mijn schuld kon afbetalen. En ik geloofde dat het allemaal in het belang van mijn familie was.

Ik ben te bang om hem te geloven.

En dus begin ik te geloven dat deze vreemde roze man een droom is, een wrede grap van mijn eigen verbeelding.

Ik tel tot honderd.
Doe het nog eens
en doe dan mijn ogen open.

Hij staat er nog steeds, met het beduimelde Nepalese woordenboek in zijn hand.

'Het fatsoenlijke huis,' zeg ik. 'Daar wil ik naartoe.'

NAMASTE

De Amerikaanse man zegt dat hij zal terugkomen. Hij komt terug zo gauw hij kan, zegt hij, met de andere mannen en de goede politieagenten die Mumtaz zullen dwingen me te laten gaan.

Als hij terugkomt, moet ik snel met hem meegaan, voor de goonda's zullen proberen ons tegen te houden.

Hij buigt en zegt 'namaste', het woord in mijn taal dat 'hallo' en 'vaarwel' betekent.

En dan is hij weg, en ik blijf achter met de vraag of hij eigenlijk wel echt hier was.

GEREED

Als er niemand kijkt, pak ik mijn bundel in voor de reis naar
het fatsoenlijke huis en verstop hem onder mijn bed.

Wat ik meeneem:
mijn Amerikaanse verhalenboek,
een haarlint dat Shahanna heeft achtergelaten,
mijn schrift,
mijn oude daagse rok,
Monica's lappenpop.

Wat ik achterlaat:
de make-up en nagelverf die ik van Mumtaz moest kopen,
de condooms onder mijn matras,
alles wat hier is gebeurd.

TWEE SOORTEN DWAASHEID

Er zijn drie dagen voorbij en nog steeds is de man met de
roze huid niet teruggekomen met de goede politiemannen.

Wat was ik dom om in hem en zijn digitale toverij te geloven.

Wat ben ik dom om te blijven geloven.

VERGETEN HOE TE VERGETEN

Ik heb een manier gevonden om met mannen te slapen. Ik heb
geleerd hoe ik moet vergeten wat er met me gebeurt, zelfs op het
moment dat het gebeurt.

Maar sinds de man met de roze huid hier met zijn foto's van
het fatsoenlijke huis is geweest,
kan ik me niet meer herinneren hoe ik dat deed.

Terwijl ik nu wacht tot de Amerikaan terugkomt en de mannen
naar mijn bed komen,
knijp ik in de lakens, uit vrees dat ik ze dood zal timmeren
met mijn vuisten.

Ik knarsetand, uit vrees dat ik door hun vel heen tot op hun
botten zal bijten.

Ik doe mijn ogen stijf dicht, uit vrees dat ik zal zien wat er
in werkelijkheid met me is gebeurd.

JEZELF VOOR DE GEK HOUDEN

Er zijn vijf dagen voorbij en nog steeds is er geen teken van de Amerikaan.

Alleen een gek zou na vijf dagen nog blijven wachten.

EEN VREEMDE ZIEKTE

Die pijn in mijn borst blijft maar aanhouden, erger dan wat
voor koorts ook.

Koorts gaat weg met een paar van Mumtaz' witte pilletjes.
Maar deze ziekte heeft me nu al een week in zijn greep.

Deze aandoening – hoop – is zo wreed en hardnekkig dat ik
denk dat ze mijn dood wordt.

STRAF

Het fijnmalen van kruiden met een houten stamper is een normaal keukengeluid. Soms betekent het niet meer dan dat er kruiden worden gestampt voor de soep. Maar soms wil het zeggen dat de kokkin de hetechilistraf bereidt voor een van ons. En dan is het een geluid dat zelfs de sterkste vrouw hier in een jankend kind verandert.

Omdat het betekent dat iemand Mumtaz kwaad heeft gemaakt, dat Mumtaz chilipepers op een stok zal smeren en die in een meisje zal stoppen, en dat wij allemaal de hele nacht wakker zullen liggen van het gekerm van het meisje.

Anita schuifelt naar de kokkin toe, maar durft niets te vragen. 'Mumtaz is woest,' zegt de kokkin. 'Een van de meisjes heeft haar bedrogen.'

Mijn benen begeven het als ik me het branden van de hetechilistok voorstel op de tere plek bij mij vanbinnen. En ik begin te zweten en te ijsberen en te trillen en probeer me voor te stellen hoe Mumtaz achter het bestaan van de Amerikaan is gekomen. Ik ril en beef en bedenk de woorden die ik zal gebruiken om genade af te smeken.

Mijn maag speelt op van angst als ik het zware gebons hoor van voetstappen in de gang.
Maar als Mumtaz de kamer binnenkomt, trek ik het gezicht van een gedwee Nepalees meisje, een meisje dat geen weerstand zal bieden.

Ze stormt langs me heen, en ik krimp ineen als de onderkant van haar mouw langs mijn arm strijkt.

Ze duwt de kokkin opzij, pakt haar stok, rolt hem in de chilipoeder, en draait zich naar mij.

Ik val op de grond, kus haar voeten en huil.

Ze schopt me tegen mijn ribben en alle lucht wordt in één keer uit me weggeperst. Het volgende moment is ze verdwenen.

Algauw hoor ik een zielig gekerm uit de kamer ernaast komen. Anita buigt zich over me heen. 'Het is Kumari, het nieuwe meisje,' zegt ze en ze streelt over mijn haar. 'Ze heeft een armband aangenomen van een klant.'

Mijn schandelijke hart verheugt zich dat het Kumari is, en niet ik, die huilt. Maar ik vraag me af wat Mumtaz zou doen als ze van mijn Amerikaan wist, als ze dit doet om een armband.

Ik druk mijn wang tegen de koele vloer en doe mijn ogen dicht. Als ik ze weer opendoe, zie ik Mumtaz' geverfde tenen op centimeters van mijn gezicht. Anita's voeten reppen zich weg.

'Je doet wel alsof je ergens schuldig aan bent,' zegt Mumtaz boven mij.

Daarna voel ik haar korrelige schoenzool tegen de zijkant van mijn hoofd, eerst zachtjes. Dan voert ze met geleidelijk toenemende, aanhoudende kracht de druk op tot haar volle gewicht op me rust.

Ze draait met haar voet en het metalen uiteinde van mijn oorring bijt in het zachte vlees van mijn oor.
Maar ik geef geen kik.

De seconden tikken voorbij.

Dan ben ik, hoe dan ook, buiten mezelf en verwonder me over deze pijn, iets zo ontzagwekkends dat het kleur en vorm aanneemt. Prachtig rode sterren van pijn, dan gele, ontploffen in mijn hoofd.

Daarna volgt er een verblindend wit licht, en vervolgens duisternis.

Op de een of andere manier, zonder waarschuwing, is de pijn weg. Er komt een andere voor in de plaats als Mumtaz aan mijn vlecht rukt en me overeind sjort.

We staan oog in oog. Ik kan de scherpe zure lucht van haar zweet ruiken.
'Heb je iets gedaan waarvoor je straf verdient?' zegt ze.

Ik geef geen antwoord.

Ze rukt aan mijn vlecht. Mijn schedel gilt het uit van de pijn.
Maar ik zeg geen woord.

'Heb je iets slechts gedaan?' vraagt ze terwijl het speeksel belletjes vormt in haar mondhoeken.

'Zeg op, jij stomme kleine bergmeid.'

Mumtaz heeft me een kleine bergmeid genoemd. Wat ik, nog steeds, ben.

Ik kijk haar aan. 'Nee, Mumtaz,' zeg ik. 'Niets.'

Ze laat mijn haar los en ik heb al mijn kracht nodig om te blijven staan.

'Doe dan je make-up op,' zegt ze, 'en maak dat je aan het werk komt.'

Ik blijf rechtop staan tot ze weg is. Pas daarna zak ik op de vloer en betast de zijkant van mijn hoofd. Mijn oorring laat los in mijn hand, onder het bloed, maar heel. En dan besef ik dat mijn oorlel compleet is doorgescheurd.

Er is nog iets wat ik weet. Ik weet dat ik wel honderd afstraffingen zou verdragen om van deze plek verlost te worden.

DE WOORDEN DIE HARISH ME LEERDE

Het is zo laat in de nacht dat het bijna ochtend is, en ik ben
wakker, klaar voor een nieuwe dag van wachten op de
Amerikaan.
Er klinkt gebons op de deur en een stem schreeuwt: 'Politie!'

Anita springt uit bed.
'Snel,' zegt ze en ze grijpt mijn hand.

Ik loop vlak achter haar en sluip de gang door naar haar schuilplaats in de kast.

Terwijl we op onze tenen door de gang lopen, horen we stemmen
van beneden.

'Ik kom hier voor een jong meisje,' zegt een man.

'Wat denkt u wel dat dit voor huis is?' zegt Mumtaz.
'Er zijn hier geen jonge meisjes.'

Ik ken die stem. Het is mijn Amerikaan.

Ik knijp in Anita's hand.
'Het is een Amerikaan,' fluister ik.

Haar ogen worden groot.

'Het is een goede man,' zeg ik. 'Hij neemt ons mee naar een
fatsoenlijk huis.'

'Dat is een truc,' zegt ze, terwijl ze langzaam naar de kast toe schuifelt.

'Nee,' zeg ik. 'Ik heb foto's gezien. Meisjes zijn daar veilig.'

Ze schudt haar hoofd. 'Het zijn leugenaars,' zegt ze. 'Ik smeek je: ga niet.'

De Amerikaan schreeuwt iets. Ik versta niet wat hij zegt, maar op de een of andere manier weet ik dat hij mij roept.

'Alsjeblieft,' smeek ik. 'Ga met me mee. Als je hier blijft, ga je dood.'

Anita grijpt mijn arm vast. 'Niet gaan!' roept ze.

Ik kan me niet verroeren.
Ik kan niet naar mijn Amerikaan toe gaan.
En ik kan mijn vriendin met het scheve gezicht niet in de steek laten.

'De nieuwe tv kan nu elke dag komen,' zegt ze. 'Mumtaz heeft het beloofd.'
Ze grijpt mijn arm en probeert me bij haar in de kast te trekken.

Ik schud mijn hoofd.

Dan laat ze langzaam mijn arm los, ze doet de deur tussen ons dicht, en ik hoor een droevig en beslissend geluid: het slot dat op zijn plaats schuift.

Ik sta alleen in de gang.

Mumtaz staat beneden te schelden. Maar ik kan de Amerikaan nog steeds horen.

Ik schuifel voetje voor voetje naar de trap. Maar ik ben te bang om naar beneden te gaan.

De Amerikaan roept.

Ik probeer antwoord te geven, maar er komt geen geluid uit mijn mond.

Ik hoor nog meer schelden en het geschuifel van voeten.
Hij gaat weg.
Mijn Amerikaan gaat weg.

Iets binnen in mij breekt naar buiten, en ik ren de trap af. Ik zie Mumtaz, haar bolle mangogezicht paars van woede, haar armen op haar rug vastgehouden door twee politiemannen. Ze doet een uitval in mijn richting en spuugt. Maar de politiemannen houden haar tegen.

Ik zie mijn Amerikaan. Er zijn andere mannen bij hem. Indiase mannen, en de Amerikaanse vrouw van de foto.

'Ik heet Lakshmi,' zeg ik.
'Ik kom uit Nepal.
Ik ben veertien jaar.'

NAWOORD VAN DE AUTEUR

Elk jaar worden er bijna twaalfduizend Nepalese meisjes willens en wetens of uit onwetendheid door hun familie verkocht om een leven van seksuele slavernij te leiden in de Indiase bordelen. Naar schatting van het Amerikaanse ministerie van Buitenlandse Zaken worden er jaarlijks bijna een half miljoen kinderen naar de seksindustrie verhandeld.

Als deel van mijn onderzoek voor *Misschien morgen*... heb ik de weg gevolgd die veel Nepalese meisjes hebben afgelegd: van afgelegen dorpen tot de hoerenbuurten van Calcutta. Ik heb ook vraaggesprekken gevoerd met hulpverleners die meisjes uit bordelen redden, hen van medische hulp en een opleiding voorzien, en hun best doen om hen weer in de maatschappij terug te brengen.

Maar het ontroerendst en inspirerendst waren de vraaggesprekken met de overlevenden zelf. Deze jonge vrouwen hebben dingen meegemaakt die veel mensen als onuitsprekelijke gruwelijkheden zouden omschrijven. Maar ze leggen getuigenis af en doen dat met grote waardigheid.

Sommigen gaan in de meest afgelegen dorpen van het land alle huizen af om uit te leggen wat er werkelijk gebeurt met de meisjes die het huis verlaten met vreemdelingen die hun goede banen beloven. Sommigen van hen – zelfs vrouwen met aids – patrouilleren op de grens tussen Nepal en India, op zoek naar jonge meisjes die zonder hun ouders reizen. En sommigen staan voor de rechtbank tegenover hun handelaars, waar het vaak hun woord is tegen dat van de vaders, broers, echtgenoten en ooms die hen voor niet meer dan driehonderd dollar hebben verkocht.

Ter ere van hen is dit boek geschreven.

DANKWOORD

Ik ben mijn geduldige, wijze en begaafde redactrice, Alessandra Balzer, diep dankbaar dat ze elke keer als ze het manuscript had gelezen de lat onmerkbaar hoger legde, evenals mijn onvermoeibare en enthousiaste agent, Nina Collins, die vanaf het eerste woord in dit boek geloofde. Ik dank ook alle talentvolle en actieve mensen bij Hyperion – in het bijzonder Angus Killick –, voor wie geen moeite te veel is om de boeken in de handen van lezers te krijgen die ze nodig hebben.

Ik ben bijzondere dank verschuldigd aan mijn wijze en grootmoedige collega's: Mark Millhone, Andrea Chapin, Rachel Cohn, Mark Belair, A.M. Homes, Chris Momenee en Mo Ogrodnik, die net zo betrokken waren bij dit verhaal als ik. En Annie en Steven Pleshette Murphy, Bridget Starr Taylor, Chris Riley, Joan Gillis, Patricia en Donald Oresman, Hallie Cohen en Bill Ecenbarger, die dit manuscript in verschillende versies lazen en me eerlijk en overvloedig voorzagen van commentaar en van hun vriendschap.

Dit boek had niet geschreven kunnen worden zonder de hulp van Ruchira Gupta en Anuradha Koriala, die voor mij de weg plaveiden zodat ik het Maiti Nepal-tehuis voor vrouwen en kinderen in Katmandu, het dorp Goldhunga in de Himalaya, het Apne Aan-vrouwencentrum in Calcutta, en het Deepika Maatschappelijk Werkcentrum voor Vrouwen en Kinderen in de hoerenbuurt van Calcutta kon bezoeken. Ik dank ook P.L. Singh, G.P. Thapa, en Harish Rao, die me op mijn reizen hebben begeleid, en Luna

Ranjit, die dit boek zo toegewijd op feitelijke onjuistheden heeft nagekeken. Mijn diepste dank gaat naar de echte Shahanna, die mijn bewaarengel was in de hoerenbuurt van Calcutta, en die me kracht en wijsheid gaf toen ik het nodig had.

Ik ben ook de New York Foundation of Arts dankbaar voor de toekenning van een beurs als ondersteuning voor dit project.

Het meest van al dank ik mijn familie: Meaghan en Matt, Brandon en Kelly, en natuurlijk Paul, die me lieten zien dat alles door de kracht van de liefde kan veranderen.

Meer dan éénderde van de wereldbevolking leeft in armoede. Oxfam Novib vindt dat iedereen recht heeft op een eerlijk inkomen, voedsel, gezondheidszorg, onderwijs en een veilig leven. Ieder mens moet zijn of haar stem kunnen laten horen en heeft recht op een eigen identiteit. Vooral zij die het zwaarst door armoede en onrecht worden getroffen: vrouwen, kinderen en minderheden. Wereldwijd strijden mensen voor hun rechten en voor een fatsoenlijk bestaan. Oxfam Novib steunt hen daarbij. Meer informatie: www.oxfamnovib.nl

Oxfam Novib   Rechtvaardige wereld. Zonder armoede.